하루 한 장 75일
집중 완성

교과 연산

A3

초1 받아올림이 없는
두 자리 수의 계산

변화를 정확히 이해해야 합니다.

수학의 기본이면서 이제는 필수가 된 연산 학습, 그런데 왜 우리 아이들은 많은 학습지를 풀고도 학교에 가면 연산 문제를 해결하지 못할까요?

지금 우리 아이들이 학습하는 교과서는 과거와는 많이 다릅니다. 단순 계산력을 확인하는 문제 대신 다양한 상황을 제시하고 상황에 맞게 문제를 해결하는 과정을 평가합니다. 그래서 단순히 계산하여 답을 내는 것보다 문장을 이해하고 상황을 판단하여 스스로 식을 세우고 문제를 해결하는 복합적인 사고 과정이 필요합니다.

그림을 보고 상황을 판단하는 능력, 그림을 보고 상황을 말로 표현하는 능력, 문장을 이해하는 능력 등 상황 판단 능력을 길러야 하는 이유입니다.

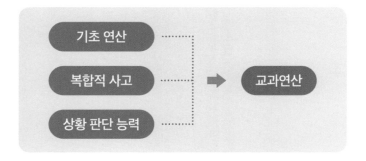

연산 원리를 학습함에 있어서도 대표적인 하나의 풀이 방법을 공식처럼 외우기만 해서는 지금의 연산 문제를 해결하기 어렵습니다. 연산 학습과 함께 다양한 방법으로 수를 분해하고 결합하는 과정, 즉 수 자체에 대한 학습도 병행되어야 합니다.

교과연산은 연산 학습과 함께 수 자체를 온전히 학습할 수 있도록 단계마다 '수특강'을 구성하고 있습니다.
계산은 문제를 해결하는 하나의 과정으로서의 의미가 큽니다.

학교에서 배우게 될 내용과 직접적으로 관련이 있는 교과연산으로 가장 먼저 시작하기를 추천드립니다.
요즘 연산은 교과 연산입니다.

"계산은 그 자체가 목적이 아닙니다. 문제를 해결하는 하나의 과정입니다."

하루 **한** 장, **75**일에 완성하는 **교과연산**

한 단계는 총 4권으로 수를 학습하는 0권과 연산을 학습하는 1권, 2권, 3권으로 구성되어 있습니다.

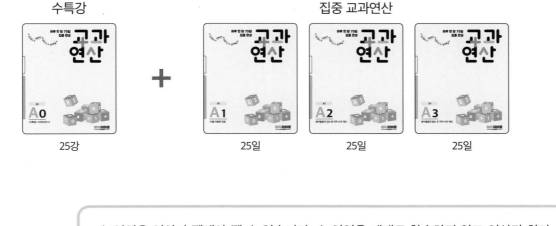

수특강 25강

집중 교과연산

A1 25일 A2 25일 A3 25일

수특강

수 영역은 연산과 뗄래야 뗄 수 없습니다. 수 영역을 제대로 학습하지 않고 연산만 한다면 연산 원리를 이해하는 데 부족함이 있습니다.
교과연산은 연산 학습을 하면서 반드시 필요한 수 영역을 수특강으로 해결합니다.

교과연산

기초 연산도 합니다. 연산 원리를 이해하고 계산 연습도 합니다. 그에 더해서 교과연산은 다양한 상황 문제를 제시하여 상황에 맞는 식을 세우고 문제를 해결하는 상황 판단 능력을 길러줍니다.

"연산을 이해하기 위해서는 수를 먼저 이해해야 합니다."

원리는 기본, 복합적 사고 문제까지 다루는 교과연산

원리
수와 연산의 원리를
이해하고 연습합니다.

복합적 사고
연산 원리를 이용하여
다양한 소재의 복합적
문제를 해결합니다.

상황 판단 문제
문장 이해력을 기르고
상황에 맞는 식을 세워
문제를 해결합니다.

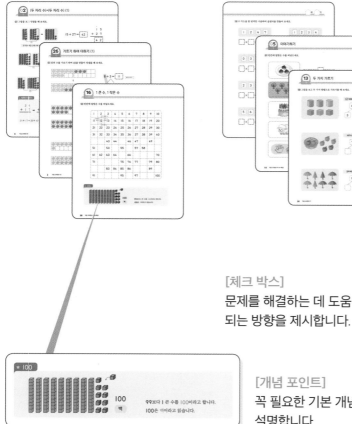

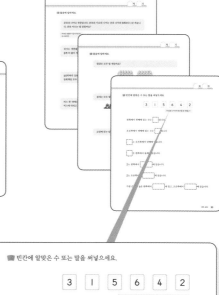

[체크 박스]
문제를 해결하는 데 도움이
되는 방향을 제시합니다.

[개념 포인트]
꼭 필요한 기본 개념을
설명합니다.

"교과연산은 꼬이고 꼬인 어려운 연산이 아닙니다.
일상 생활 속에서 상황을 판단하는 능력을 길러주는 연산입니다."

하루 **한** 장, 75일 집중 완성 교과연산 **묻고 답하기**

Q1 왜 교과연산인가요?

지금의 교과서는 과거의 교과서와는 많이 다릅니다. 하지만 아쉽게도 기존의 연산학습지는 과거의 연산 학습 방법을 그대로 답습하고 변화를 제대로 반영하지 못하고 있습니다. 교과연산은 교과서의 변화를 정확히 이해하고 체계적으로 학습을 할 수 있도록 안내합니다.

Q2 다른 연산 교재와 어떻게 다른가요?

교과연산은 변화된 교과서의 핵심 내용인 상황 판단 능력과 복합적 사고력을 길러주는 최신 연산 프로그램입니다. 또한 연산 학습의 바탕이 되는 '수'를 수특강으로 다루고 있어 수학의 기본이 되는 연산학습을 체계적으로 학습할 수 있습니다.

Q3 학교 진도와는 맞나요?

네, 교과연산은 학교 수업 진도와 최신 개정된 교과 단원에 맞추어 개발하였습니다.

Q4 단계 선택은 어떻게 해야 할까요?

권장 연령의 학습을 추천합니다.
다만, 처음 교과 연산을 시작하는 학생이라면 한 단계 낮추어 시작하는 것도 좋습니다.

Q5 '수특강'을 먼저 해야 하나요?

'수특강'을 가장 먼저 학습하는 것을 권장합니다. P단계를 예로 들어보면 P0(수특강)을 먼저 학습한 후 차례대로 P1~P3 학습을 진행합니다. '수특강'은 각 단계의 연산 원리와 개념을 정확하게 이해하고 상황 문제를 해결하는 데 디딤돌이 되어줄 것입니다.

이 책의 차례

1주차

받아올림 없는 덧셈 (1)

51 이어서 더하기
일

빈칸에 알맞은 수를 써넣고 덧셈을 해 보세요.

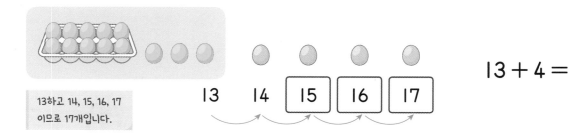

13하고 14, 15, 16, 17
이므로 17개입니다.

13 14 15 16 17

$13 + 4 = \boxed{17}$

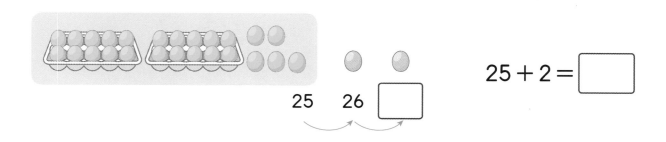

25 26 $\boxed{}$

$25 + 2 = \boxed{}$

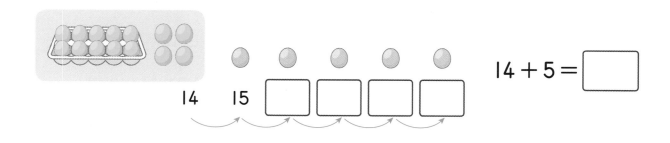

14 15 $\boxed{}$ $\boxed{}$ $\boxed{}$ $\boxed{}$

$14 + 5 = \boxed{}$

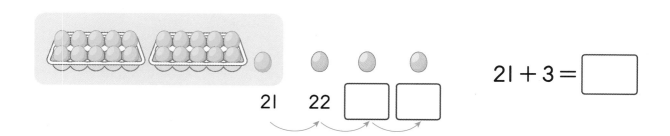

21 22 $\boxed{}$ $\boxed{}$

$21 + 3 = \boxed{}$

모두 몇 개인지 덧셈식으로 나타내어 보세요.

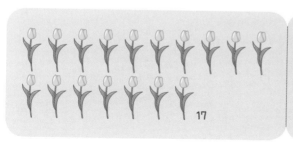

$17 +$ ☐ $=$ ☐

$23 +$ ☐ $=$ ☐

☐ $+$ ☐ $=$ ☐

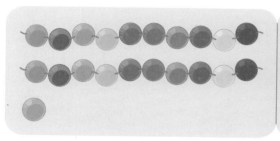 

☐ $+$ ☐ $=$ ☐

낱개끼리 더하기

🟦 그림을 보고 덧셈을 해 보세요.

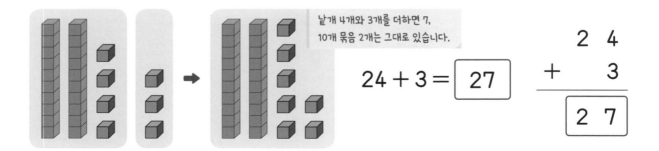

낱개 4개와 3개를 더하면 7,
10개 묶음 2개는 그대로 있습니다.

$24 + 3 =$ 27

$$\begin{array}{r} 2\ 4 \\ +\ \ \ 3 \\ \hline 2\ 7 \end{array}$$

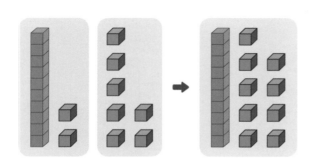

$12 + 7 =$ ☐

$$\begin{array}{r} 1\ 2 \\ +\ \ \ 7 \\ \hline \end{array}$$

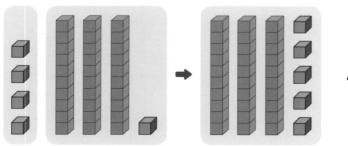

$4 + 31 =$ ☐

$$\begin{array}{r} 4 \\ +\ 3\ 1 \\ \hline \end{array}$$

★ 세로로 덧셈하기

$$\begin{array}{r} 2\ 4 \\ +\ \ \ 3 \\ \hline \end{array}$$ ➡ $$\begin{array}{r} 2\ 4 \\ +\ \ \ 3 \\ \hline \ \ \ 7 \end{array}$$

낱개끼리 더하여
줄을 맞추어 씁니다.

➡ $$\begin{array}{r} 2\ 4 \\ +\ \ \ 3 \\ \hline 2\ 7 \end{array}$$

■ 덧셈을 해 보세요.

$20 + 5 =$ ☐

$52 + 6 =$ ☐

$34 + 1 =$ ☐

$43 + 4 =$ ☐

$7 + 50 =$ ☐

$2 + 31 =$ ☐

$5 + 34 =$ ☐

$3 + 25 =$ ☐

$$\begin{array}{r} 3\ 0 \\ +\quad 2 \\ \hline \end{array}$$
☐

$$\begin{array}{r} 4\ 6 \\ +\quad 1 \\ \hline \end{array}$$
☐

$$\begin{array}{r} 1\ 4 \\ +\quad 4 \\ \hline \end{array}$$
☐

$$\begin{array}{r} 5\ 3 \\ +\quad 5 \\ \hline \end{array}$$
☐

$$\begin{array}{r} 3 \\ +\ 2\ 3 \\ \hline \end{array}$$
☐

$$\begin{array}{r} 2 \\ +\ 4\ 1 \\ \hline \end{array}$$
☐

$$\begin{array}{r} 3 \\ +\ 7\ 2 \\ \hline \end{array}$$
☐

$$\begin{array}{r} 2 \\ +\ 3\ 7 \\ \hline \end{array}$$
☐

53일 10개 묶음끼리 더하기

🔖 그림을 보고 덧셈을 해 보세요.

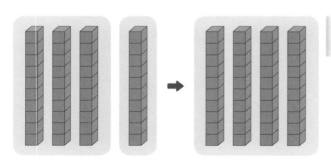

10개 묶음 3개와 1개를
더하면 40입니다.

$30 + 10 = \boxed{40}$

$$\begin{array}{r} 3\ 0 \\ +\ 1\ 0 \\ \hline \boxed{4\ 0} \end{array}$$

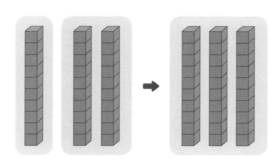

$10 + 20 = \boxed{}$

$$\begin{array}{r} 1\ 0 \\ +\ 2\ 0 \\ \hline \boxed{} \end{array}$$

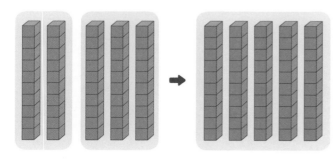

$20 + 30 = \boxed{}$

$$\begin{array}{r} 2\ 0 \\ +\ 3\ 0 \\ \hline \boxed{} \end{array}$$

★ 세로로 덧셈하기

$$\begin{array}{r} 3\ 0 \\ +\ 1\ 0 \\ \hline \end{array} \rightarrow \begin{array}{r} 3\ 0 \\ +\ 1\ 0 \\ \hline 0 \end{array} \rightarrow \begin{array}{r} 3\ 0 \\ +\ 1\ 0 \\ \hline 4\ 0 \end{array}$$

낱개끼리 줄을 맞추고
10개 묶음끼리 더하여
줄을 맞추어 씁니다.

색깔이 같은 수 카드에 적힌 두 수를 더해 보세요.

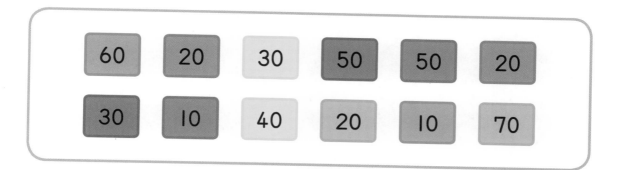

빨간색 카드

$$\boxed{60} + \boxed{10} = \boxed{}$$

초록색 카드

$$\boxed{} + \boxed{} = \boxed{}$$

노란색 카드

$$\boxed{} + \boxed{} = \boxed{}$$

파란색 카드

$$\boxed{} + \boxed{} = \boxed{}$$

보라색 카드

$$\boxed{} + \boxed{} = \boxed{}$$

주황색 카드

$$\boxed{} + \boxed{} = \boxed{}$$

10개 묶음, 낱개끼리 더하기

🔲 그림을 보고 덧셈을 해 보세요.

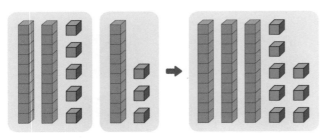

$25 + 13 =$ 38

```
    2 5
  +   1 3
  ─────
    3 8
```

낱개 5개와 3개를 더하면 8,
10개 묶음 2개와 1개를 더하면 30입니다.

$20 + 16 =$

```
    2 0
  +   1 6
  ─────
```

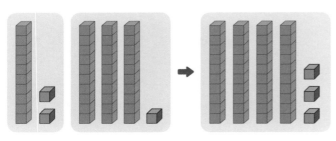

$12 + 31 =$

```
    1 2
  +   3 1
  ─────
```

★ 세로로 덧셈하기

```
    2 5          2 5                   2 5
  +   1 3   ➡   +   1 3               +   1 3
  ─────         ─────                 ─────
                      8                   3 8
```

낱개끼리
더하여 줄을   ➡   10개 묶음끼리
맞추어 씁니다.   더하여 줄을
                      맞추어 씁니다.

📖 덧셈을 해 보세요.

$31 + 26 =$ ☐

$30 + 17 =$ ☐

$63 + 16 =$ ☐

$24 + 10 =$ ☐

$12 + 75 =$ ☐

$25 + 21 =$ ☐

$27 + 22 =$ ☐

$42 + 13 =$ ☐

$$\begin{array}{r} 6\ 0 \\ +\ 1\ 2 \\ \hline \end{array}$$

$$\begin{array}{r} 2\ 8 \\ +\ 3\ 1 \\ \hline \end{array}$$

$$\begin{array}{r} 4\ 7 \\ +\ 3\ 0 \\ \hline \end{array}$$

$$\begin{array}{r} 1\ 4 \\ +\ 2\ 4 \\ \hline \end{array}$$

$$\begin{array}{r} 3\ 1 \\ +\ 3\ 4 \\ \hline \end{array}$$

$$\begin{array}{r} 7\ 2 \\ +\ 1\ 5 \\ \hline \end{array}$$

$$\begin{array}{r} 3\ 3 \\ +\ 2\ 5 \\ \hline \end{array}$$

$$\begin{array}{r} 2\ 6 \\ +\ 2\ 1 \\ \hline \end{array}$$

연속 덧셈

◼️ 덧셈을 해 보세요.

$14 + 1 = \boxed{}$

$14 + 2 = \boxed{}$

$14 + 3 = \boxed{}$

$14 + 4 = \boxed{}$

$14 + 5 = \boxed{}$

더하는 수가 1씩 커지면 합도 1씩 커집니다.

$31 + 8 = \boxed{}$

$31 + 7 = \boxed{}$

$31 + 6 = \boxed{}$

$31 + 5 = \boxed{}$

$31 + 4 = \boxed{}$

더하는 수가 1씩 작아지면 합도 1씩 작아집니다.

$32 + 13 = \boxed{}$

$33 + 13 = \boxed{}$

$34 + 13 = \boxed{}$

$35 + 13 = \boxed{}$

$25 + 22 = \boxed{}$

$24 + 22 = \boxed{}$

$23 + 22 = \boxed{}$

$22 + 22 = \boxed{}$

덧셈을 하고 규칙을 찾아 빈칸에 알맞은 수를 써넣으세요.

$13 + 1 = \boxed{14}$	$13 + 2 = \boxed{15}$	$13 + 3 = \boxed{}$
$14 + 1 = \boxed{15}$	$14 + 2 = \boxed{16}$	$14 + 3 = \boxed{}$
$15 + 1 = \boxed{}$	$15 + \boxed{} = \boxed{}$	$15 + 3 = \boxed{}$
$\boxed{} + 1 = \boxed{}$	$16 + 2 = \boxed{}$	$16 + \boxed{} = \boxed{}$

$\begin{array}{r} 3\ 1 \\ +\ 2\ 5 \\ \hline \boxed{5\ 6} \end{array}$	$\begin{array}{r} 3\ 3 \\ +\ 2\ 4 \\ \hline \boxed{5\ 7} \end{array}$	$\begin{array}{r} 3\ 5 \\ +\ 2\ 3 \\ \hline \boxed{5\ 8} \end{array}$	$\begin{array}{r} 3\ 7 \\ +\ 2\ 2 \\ \hline \boxed{} \end{array}$
$\begin{array}{r} 3\ 2 \\ +\ 2\ 4 \\ \hline \boxed{5\ 6} \end{array}$	$\begin{array}{r} 3\ 4 \\ +\ 2\ 3 \\ \hline \boxed{} \end{array}$	$\begin{array}{r} 3\ 6 \\ +\ \boxed{} \\ \hline \boxed{} \end{array}$	$\begin{array}{r} 3\ 8 \\ +\ 2\ 1 \\ \hline \boxed{} \end{array}$
$\begin{array}{r} 3\ 3 \\ +\ 2\ 3 \\ \hline \boxed{} \end{array}$	$\begin{array}{r} 3\ 5 \\ +\ \boxed{} \\ \hline \boxed{} \end{array}$	$\begin{array}{r} 3\ 7 \\ +\ 2\ 1 \\ \hline \boxed{} \end{array}$	$\begin{array}{r} 3\ 9 \\ +\ \boxed{} \\ \hline \boxed{} \end{array}$

■ 짝지은 두 수를 더하여 바로 위쪽 빈칸에 써넣으세요.

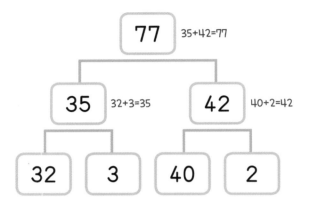

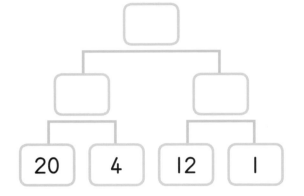

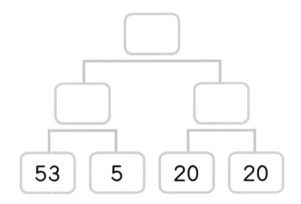

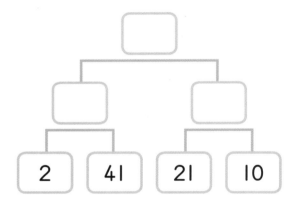

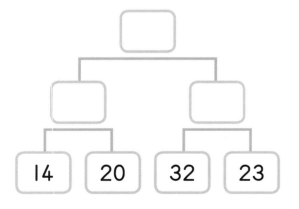

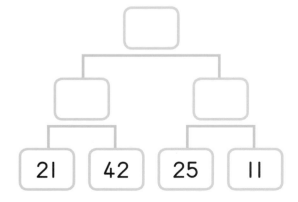

2주차 받아내림 없는 뺄셈 (1)

빼는 수만큼 낱개 달걀을 /로 지우고 뺄셈을 해 보세요.

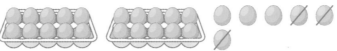

$26 - 3 =$ 23

26에서 거꾸로 25, 24, 23이므로 23개입니다.

$18 - 2 =$

$34 - 4 =$

$19 - 8 =$

$27 - 2 =$

$32 - 1 =$

월 일

■ 남은 것은 몇 개인지 뺄셈식으로 나타내어 보세요.

$27 - \boxed{} = \boxed{}$

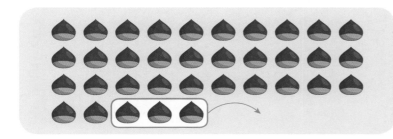

$35 - \boxed{} = \boxed{}$

$\boxed{} - \boxed{} = \boxed{}$

$\boxed{} - \boxed{} = \boxed{}$

낱개끼리 빼기

그림을 보고 뺄셈을 해 보세요.

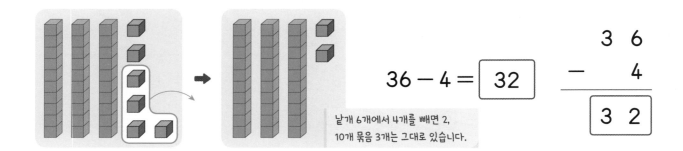

$36 - 4 = \boxed{32}$

낱개 6개에서 4개를 빼면 2,
10개 묶음 3개는 그대로 있습니다.

$$\begin{array}{r} 3\ 6 \\ -\ 4 \\ \hline \boxed{3\ 2} \end{array}$$

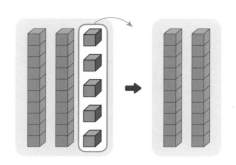

$25 - 5 = \boxed{}$

$$\begin{array}{r} 2\ 5 \\ -\ 5 \\ \hline \boxed{} \end{array}$$

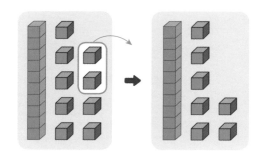

$19 - 2 = \boxed{}$

$$\begin{array}{r} 1\ 9 \\ -\ 2 \\ \hline \boxed{} \end{array}$$

★ 세로로 뺄셈하기

$$\begin{array}{r} 3\ 6 \\ -\ 4 \\ \hline \end{array}$$
➡
$$\begin{array}{r} 3\ 6 \\ -\ 4 \\ \hline \ 2 \end{array}$$

낱개끼리 빼서
줄을 맞추어 씁니다.
➡
$$\begin{array}{r} 3\ 6 \\ -\ 4 \\ \hline 3\ 2 \end{array}$$

■ 뺄셈을 해 보세요.

18 − 4 = ☐   56 − 2 = ☐

35 − 1 = ☐   43 − 3 = ☐

58 − 7 = ☐   39 − 4 = ☐

24 − 2 = ☐   47 − 3 = ☐

$$\begin{array}{r} 3\ 4 \\ -\quad 3 \\ \hline \square \end{array}$$
$$\begin{array}{r} 4\ 9 \\ -\quad 1 \\ \hline \square \end{array}$$
$$\begin{array}{r} 1\ 8 \\ -\quad 4 \\ \hline \square \end{array}$$
$$\begin{array}{r} 5\ 7 \\ -\quad 5 \\ \hline \square \end{array}$$

$$\begin{array}{r} 2\ 6 \\ -\quad 6 \\ \hline \square \end{array}$$
$$\begin{array}{r} 6\ 8 \\ -\quad 6 \\ \hline \square \end{array}$$
$$\begin{array}{r} 3\ 5 \\ -\quad 2 \\ \hline \square \end{array}$$
$$\begin{array}{r} 7\ 9 \\ -\quad 2 \\ \hline \square \end{array}$$

58 일 10개 묶음끼리 빼기

🟦 그림을 보고 뺄셈을 해 보세요.

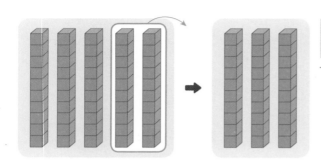

10개 묶음 5개에서 2개를
빼면 30입니다.

$$50 - 20 = \boxed{30}$$

$$\begin{array}{r} 5\ 0 \\ -\ 2\ 0 \\ \hline \boxed{3\ 0} \end{array}$$

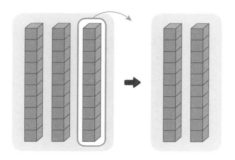

$$30 - 10 = \boxed{}$$

$$\begin{array}{r} 3\ 0 \\ -\ 1\ 0 \\ \hline \boxed{} \end{array}$$

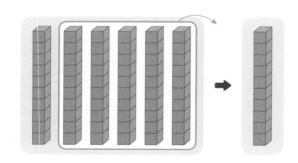

$$60 - 50 = \boxed{}$$

$$\begin{array}{r} 6\ 0 \\ -\ 5\ 0 \\ \hline \boxed{} \end{array}$$

★ 세로로 뺄셈하기

$$\begin{array}{r} 5\ 0 \\ -\ 2\ 0 \\ \hline \end{array}$$ ➡ $$\begin{array}{r} 5\ 0 \\ -\ 2\ 0 \\ \hline \ 0 \end{array}$$ ➡ $$\begin{array}{r} 5\ 0 \\ -\ 2\ 0 \\ \hline 3\ 0 \end{array}$$

낱개끼리 줄을 맞추고
10개 묶음끼리 빼서
줄을 맞추어 씁니다.

색깔이 같은 수 카드에 적힌 두 수의 차를 구해 보세요.

80	20	70	60	70	30
20	60	10	90	40	50

빨간색 카드

$$80 - 10 = \boxed{}$$

두 수의 차를 구할 때는 큰 수에서 작은 수를 빼야 합니다.

초록색 카드

$$\boxed{} - \boxed{} = \boxed{}$$

노란색 카드

$$\boxed{} - \boxed{} = \boxed{}$$

파란색 카드

$$\boxed{} - \boxed{} = \boxed{}$$

보라색 카드

$$\boxed{} - \boxed{} = \boxed{}$$

주황색 카드

$$\boxed{} - \boxed{} = \boxed{}$$

📘 그림을 보고 뺄셈을 해 보세요.

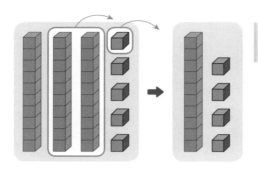

> 낱개 5개에서 1개를 빼면 4,
> 10개 묶음 3개에서 2개를 빼면 10입니다.

$$35 - 21 = \boxed{14}$$

$$\begin{array}{r} 3\;5 \\ -\;2\;1 \\ \hline \boxed{1\;4} \end{array}$$

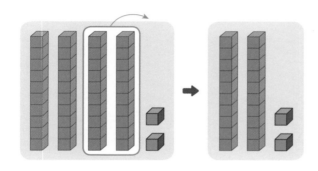

$$42 - 20 = \boxed{}$$

$$\begin{array}{r} 4\;2 \\ -\;2\;0 \\ \hline \boxed{} \end{array}$$

$$27 - 23 = \boxed{}$$

$$\begin{array}{r} 2\;7 \\ -\;2\;3 \\ \hline \boxed{} \end{array}$$

★ 세로로 뺄셈하기

$$\begin{array}{r} 3\;5 \\ -\;2\;1 \\ \hline \end{array}$$
➡
$$\begin{array}{r} 3\;5 \\ -\;2\;1 \\ \hline 4 \end{array}$$
낱개끼리
빼서 줄을
맞추어 씁니다.
➡
$$\begin{array}{r} 3\;5 \\ -\;2\;1 \\ \hline 1\;4 \end{array}$$
10개 묶음끼리
빼서 줄을
맞추어 씁니다.

🟦 뺄셈을 해 보세요.

$57 - 22 = \boxed{}$　　　　　$36 - 16 = \boxed{}$

$69 - 13 = \boxed{}$　　　　　$51 - 20 = \boxed{}$

$76 - 64 = \boxed{}$　　　　　$95 - 41 = \boxed{}$

$58 - 51 = \boxed{}$　　　　　$65 - 42 = \boxed{}$

$$\begin{array}{r} 6\ 2 \\ -\ 1\ 0 \\ \hline \end{array} \qquad \begin{array}{r} 8\ 9 \\ -\ 3\ 1 \\ \hline \end{array} \qquad \begin{array}{r} 7\ 3 \\ -\ 4\ 3 \\ \hline \end{array} \qquad \begin{array}{r} 5\ 9 \\ -\ 3\ 5 \\ \hline \end{array}$$

$$\begin{array}{r} 7\ 9 \\ -\ 3\ 7 \\ \hline \end{array} \qquad \begin{array}{r} 4\ 7 \\ -\ 4\ 2 \\ \hline \end{array} \qquad \begin{array}{r} 8\ 8 \\ -\ 6\ 7 \\ \hline \end{array} \qquad \begin{array}{r} 9\ 4 \\ -\ 2\ 1 \\ \hline \end{array}$$

60 연속 뺄셈

뺄셈을 해 보세요.

$18 - 3 = \boxed{}$

$18 - 4 = \boxed{}$

$18 - 5 = \boxed{}$

$18 - 6 = \boxed{}$

$18 - 7 = \boxed{}$

빼는 수가 1씩 커지면 차는 1씩 작아집니다.

$25 - 5 = \boxed{}$

$26 - 5 = \boxed{}$

$27 - 5 = \boxed{}$

$28 - 5 = \boxed{}$

$29 - 5 = \boxed{}$

빼지는 수가 1씩 커지면 차도 1씩 커집니다.

$46 - 15 = \boxed{}$

$46 - 14 = \boxed{}$

$46 - 13 = \boxed{}$

$46 - 12 = \boxed{}$

빼는 수가 1씩 작아지면 차는 1씩 커집니다.

$47 - 20 = \boxed{}$

$46 - 20 = \boxed{}$

$45 - 20 = \boxed{}$

$44 - 20 = \boxed{}$

빼지는 수가 1씩 작아지면 차도 1씩 작아집니다.

뺄셈을 하고 규칙을 찾아 빈칸에 알맞은 수를 써넣으세요.

$26 - 4 = \boxed{22}$	$27 - 4 = \boxed{23}$	$28 - 4 = \boxed{}$
$26 - 3 = \boxed{23}$	$27 - 3 = \boxed{24}$	$28 - 3 = \boxed{}$
$\boxed{} - 2 = \boxed{}$	$27 - 2 = \boxed{}$	$28 - \boxed{} = \boxed{}$
$26 - 1 = \boxed{}$	$27 - \boxed{} = \boxed{}$	$28 - 1 = \boxed{}$

$\begin{array}{r} 3\ 5 \\ -\ 2\ 2 \\ \hline \boxed{1\ 3} \end{array}$	$\begin{array}{r} 3\ 5 \\ -\ 2\ 3 \\ \hline \boxed{1\ 2} \end{array}$	$\begin{array}{r} 3\ 5 \\ -\ 2\ 4 \\ \hline \boxed{1\ 1} \end{array}$	$\begin{array}{r} 3\ 5 \\ -\ \boxed{} \\ \hline \boxed{} \end{array}$
$\begin{array}{r} 3\ 6 \\ -\ 2\ 3 \\ \hline \boxed{1\ 3} \end{array}$	$\begin{array}{r} 3\ 6 \\ -\ 2\ 4 \\ \hline \boxed{} \end{array}$	$\begin{array}{r} 3\ 6 \\ -\ \boxed{} \\ \hline \boxed{} \end{array}$	$\begin{array}{r} 3\ 6 \\ -\ 2\ 6 \\ \hline \boxed{} \end{array}$
$\begin{array}{r} 3\ 7 \\ -\ 2\ 4 \\ \hline \boxed{} \end{array}$	$\begin{array}{r} 3\ 7 \\ -\ \boxed{} \\ \hline \boxed{} \end{array}$	$\begin{array}{r} 3\ 7 \\ -\ 2\ 6 \\ \hline \boxed{} \end{array}$	$\begin{array}{r} 3\ 7 \\ -\ 2\ 7 \\ \hline \boxed{} \end{array}$

짝지은 두 수의 차를 바로 아래쪽 빈칸에 써넣으세요.

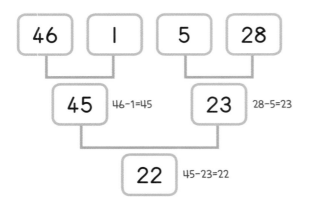

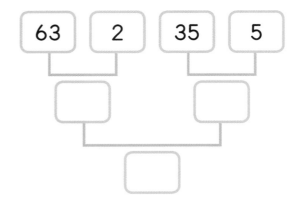

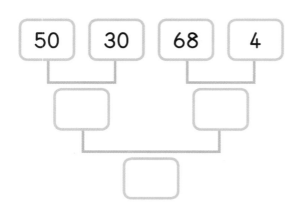

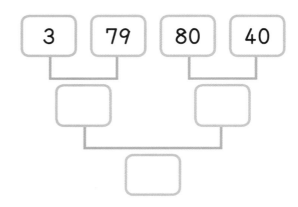

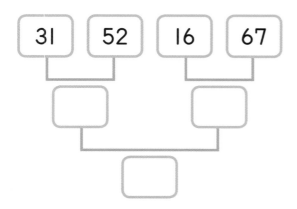

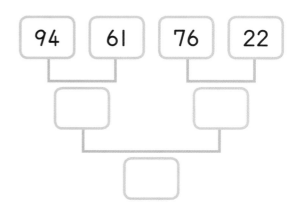

3주차 받아올림 없는 덧셈 (2)

두 수 골라 더하기

🔖 가장 큰 수와 가장 작은 수를 더해 보세요.

| 50 | 61 | 5 | 7 |

$$61 + 5 = \boxed{}$$

가장 큰 수: 61, 가장 작은 수: 5

| 21 | 9 | 30 | 7 |

$$\boxed{} + \boxed{} = \boxed{}$$

| 50 | 10 | 40 | 20 |

$$\boxed{} + \boxed{} = \boxed{}$$

| 72 | 30 | 41 | 20 |

$$\boxed{} + \boxed{} = \boxed{}$$

| 13 | 27 | 45 | 32 |

$$\boxed{} + \boxed{} = \boxed{}$$

| 42 | 84 | 12 | 51 |

$$\boxed{} + \boxed{} = \boxed{}$$

| 54 | 35 | 56 | 22 |

$$\boxed{} + \boxed{} = \boxed{}$$

| 50 | 24 | 63 | 47 |

$$\boxed{} + \boxed{} = \boxed{}$$

■ 같은 모양에 적힌 두 수의 합을 구해 보세요.

⬤ 5 ■ 63 ▲ 20 ▲ 18 ⬤ 41 ■ 4	⬤ (45) ⬤ : 5+41=45 ■ ( ) ▲ ( )

■ 52 ⬤ 6 ■ 12 ⬤ 31 ▲ 35 ▲ 30	⬤ ( ) ■ ( ) ▲ ( )

▲ 13 ■ 42 ⬤ 65 ⬤ 23 ■ 37 ▲ 34	⬤ ( ) ■ ( ) ▲ ( )

여러 가지 덧셈 방법

■ 덧셈식으로 나타내고 빈칸에 알맞은 수를 써넣으세요.

$\boxed{15} + \boxed{21} = \boxed{}$

방법 1   10과 20을 더하고, 5와 1을 더합니다.

방법 2   15에 1을 더해 16을 구하고, 그 수에 20을 더합니다.

방법 3   15에 20을 더해 35를 구하고, 그 수에 1을 더합니다.

$\boxed{} + \boxed{} = \boxed{}$

방법 1   30과 $\boxed{}$ 을 더하고, 1과 $\boxed{}$ 을 더합니다.

방법 2   31에 7을 더해 $\boxed{}$ 을 구하고, 그 수에 $\boxed{}$ 을 더합니다.

방법 3   31에 10을 더해 $\boxed{}$ 을 구하고, 그 수에 $\boxed{}$ 을 더합니다.

덧셈식으로 나타내고 빈칸에 알맞은 수를 써넣으세요.

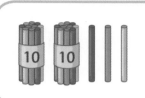  

방법 1 20과 ☐ 을 더하고, 3과 ☐ 를 더합니다.

방법 2 23에 5를 더해 ☐ 을 구하고, 그 수에 ☐ 을 더합니다.

방법 3 23에 20을 더해 ☐ 을 구하고, 그 수에 ☐ 를 더합니다.

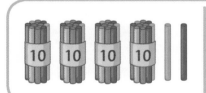 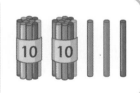 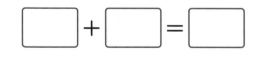

방법 1 40과 ☐ 을 더하고, ☐ 와 3을 더합니다.

방법 2 42에 ☐ 을 더해 ☐ 를 구하고, 그 수에 20을 더합니다.

방법 3 42에 ☐ 을 더해 ☐ 를 구하고, 그 수에 3을 더합니다.

□가 있는 덧셈

🔲 빈칸에 알맞은 수를 써넣으세요.

20과 10을 더하면 30 , 5와 3을 더하면 8 입니다.

$$\begin{array}{r} 2\ 5 \\ +\ 1\ 3 \\ \hline \boxed{3}\ \boxed{8} \end{array}$$

50과 30을 더하면 ☐ , 4와 ☐ 을 더하면 5입니다.

$$\begin{array}{r} 5\ 4 \\ +\ 3\ \boxed{} \\ \hline \boxed{}\ 5 \end{array}$$

30과 ☐ 을 더하면 40, ☐ 와 2를 더하면 7입니다.

$$\begin{array}{r} 3\ \boxed{} \\ +\ \boxed{}\ 2 \\ \hline 4\ 7 \end{array}$$

☐ 과 10을 더하면 50, 0과 ☐ 을 더하면 3입니다.

$$\begin{array}{r} \boxed{}\ 0 \\ +\ 1\ \boxed{} \\ \hline 5\ 3 \end{array}$$

■ 빈칸에 알맞은 수를 써넣으세요.

$$\begin{array}{r} 2\ 6 \\ +\ 4\ \boxed{} \\ \hline \boxed{}\ 8 \end{array}$$

$$\begin{array}{r} 6\ \boxed{} \\ +\ 1\ 2 \\ \hline \boxed{}\ 5 \end{array}$$

$$\begin{array}{r} 2\ 4 \\ +\ \boxed{}\ 3 \\ \hline 6\ \boxed{} \end{array}$$

$$\begin{array}{r} \boxed{}\ 1 \\ +\ 2\ 8 \\ \hline 4\ \boxed{} \end{array}$$

$$\begin{array}{r} 3\ 4 \\ +\ 2\ \boxed{} \\ \hline \boxed{}\ 9 \end{array}$$

$$\begin{array}{r} \boxed{}\ 5 \\ +\ 7\ 2 \\ \hline 8\ \boxed{} \end{array}$$

$$\begin{array}{r} \boxed{}\ 1 \\ +\ 3\ \boxed{} \\ \hline 6\ 3 \end{array}$$

$$\begin{array}{r} \boxed{}\ 2 \\ +\ 4\ \boxed{} \\ \hline 6\ 8 \end{array}$$

$$\begin{array}{r} \boxed{}\ 6 \\ +\ 3\ \boxed{} \\ \hline 8\ 6 \end{array}$$

$$\begin{array}{r} 2\ \boxed{} \\ +\ \boxed{}\ 0 \\ \hline 9\ 4 \end{array}$$

$$\begin{array}{r} 1\ \boxed{} \\ +\ \boxed{}\ 5 \\ \hline 7\ 9 \end{array}$$

$$\begin{array}{r} 7\ \boxed{} \\ +\ \boxed{}\ 4 \\ \hline 9\ 5 \end{array}$$

이야기하기

📗 물음에 답하세요.

교실에 학생 **20**명이 있었는데 **4**명이 더 들어왔습니다. 교실에 있는 학생은 모두 몇 명일까요?

식 $20 + 4 = 24$ 답   **24**   명

색연필 **57**자루가 있는데 **12**자루를 더 샀습니다. 색연필은 모두 몇 자루 있을까요?

식   답   자루

화단에 해바라기 **15**송이와 튤립 **33**송이가 있습니다. 화단에 있는 꽃은 모두 몇 송이일까요?

식   답   송이

민성이는 어제 줄넘기를 **52**번 넘고 오늘 **34**번 넘었습니다. 민성이는 어제와 오늘 줄넘기를 모두 몇 번 넘었을까요?

식   답   번

🔖 물음에 답하세요.

공원에 소나무 30그루와 느티나무 40그루가 있습니다. 공원에 있는 나무는 모두 몇 그루일까요?

식 _____ 답 _____ 그루

공연장에 입장하기 위해 64명이 줄을 서 있었는데 13명이 더 와서 줄을 섰습니다. 줄을 서 있는 사람은 모두 몇 명일까요?

식 _____ 답 _____ 명

어느 도시에서 7월에 비가 온 날은 10일, 8월에 비가 온 날은 16일이었습니다. 이 도시에서 7월과 8월에 비가 온 날은 모두 며칠일까요?

식 _____ 답 _____ 일

서윤이는 동화책을 42쪽 읽고 위인전도 동화책과 같은 쪽수만큼 읽었습니다. 서윤이는 책을 모두 몇 쪽 읽었을까요?

식 _____ 답 _____ 쪽

덧셈식 만들기

주원이네 집에 있는 과일입니다. 물음에 답하세요.

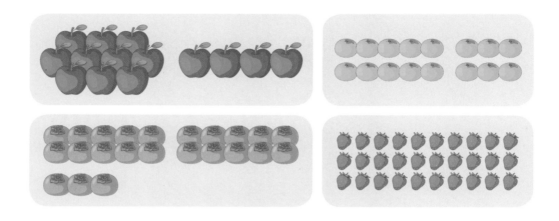

사과와 딸기는 모두 몇 개 있나요?

식 ☐ + ☐ = ☐   답 ☐ 개

귤과 감은 모두 몇 개 있나요?

식 ☐ + ☐ = ☐   답 ☐ 개

사과 **24**개를 더 샀습니다. 사과는 모두 몇 개가 될까요?

식 ☐ + ☐ = ☐   답 ☐ 개

농장에 있는 동물의 수입니다. 물음에 답하세요.

13마리	15마리	40마리	21마리

양과 병아리는 모두 몇 마리인가요?

식 ☐ + ☐ = ☐   답 ☐ 마리

닭과 토끼는 모두 몇 마리인가요?

식 ☐ + ☐ = ☐   답 ☐ 마리

병아리 16마리가 알을 깨고 태어났습니다. 병아리는 모두 몇 마리가 될까요?

식 ☐ + ☐ = ☐   답 ☐ 마리

그림을 보고 덧셈식 2개를 만들어 보세요.

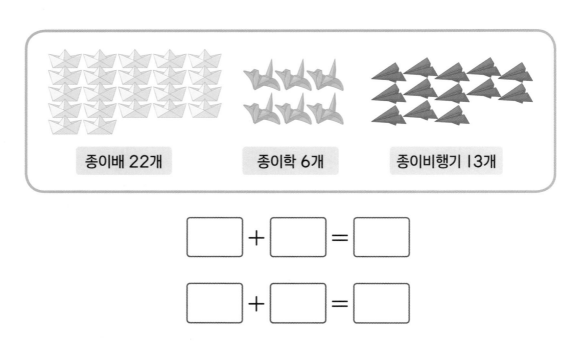

종이배 22개　　　종이학 6개　　　종이비행기 13개

$$\boxed{} + \boxed{} = \boxed{}$$

$$\boxed{} + \boxed{} = \boxed{}$$

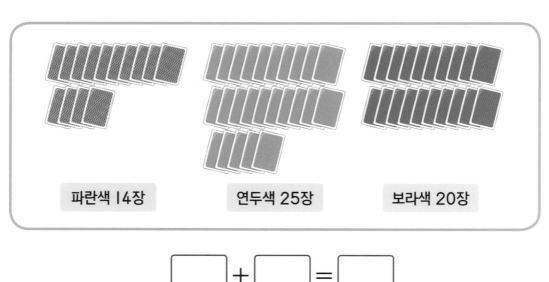

파란색 14장　　　연두색 25장　　　보라색 20장

$$\boxed{} + \boxed{} = \boxed{}$$

$$\boxed{} + \boxed{} = \boxed{}$$

4주차 받아내림 없는 뺄셈 (2)

두 수 골라 빼기

🏴 가장 큰 수와 가장 작은 수의 차를 구해 보세요.

| 39 | 45 | 8 | 4 |

$$\boxed{45} - \boxed{4} = \boxed{}$$

가장 큰 수: 45, 가장 작은 수: 4

| 6 | 28 | 5 | 25 |

$$\boxed{} - \boxed{} = \boxed{}$$

| 50 | 40 | 90 | 70 |

$$\boxed{} - \boxed{} = \boxed{}$$

| 67 | 50 | 31 | 20 |

$$\boxed{} - \boxed{} = \boxed{}$$

| 19 | 38 | 54 | 79 |

$$\boxed{} - \boxed{} = \boxed{}$$

| 32 | 87 | 26 | 52 |

$$\boxed{} - \boxed{} = \boxed{}$$

| 47 | 22 | 65 | 50 |

$$\boxed{} - \boxed{} = \boxed{}$$

| 21 | 35 | 81 | 92 |

$$\boxed{} - \boxed{} = \boxed{}$$

같은 모양에 적힌 두 수의 차를 구해 보세요.

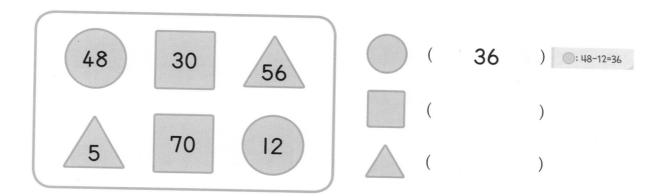

○ (36)   ○ : 48-12=36
□ ( )
△ ( )

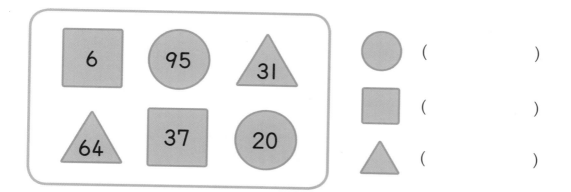

○ ( )
□ ( )
△ ( )

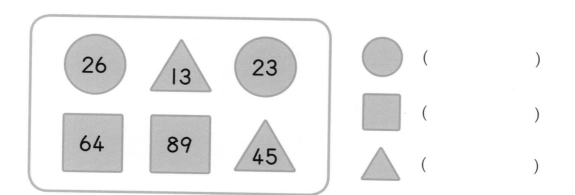

○ ( )
□ ( )
△ ( )

67일 여러 가지 뺄셈 방법

🔖 뺄셈식으로 나타내고 빈칸에 알맞은 수를 써넣으세요.

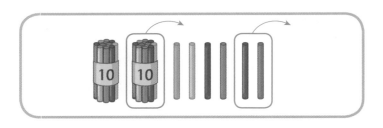

$$\boxed{26} - \boxed{12} = \boxed{}$$

방법 1 20에서 10을 뺀 다음 6에서 2를 뺀 수와 더합니다.

방법 2 26에서 2를 빼서 24를 구하고, 그 수에서 10을 뺍니다.

방법 3 26에서 10을 빼서 16을 구하고, 그 수에서 2를 뺍니다.

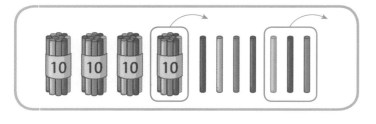

$$\boxed{} - \boxed{} = \boxed{}$$

방법 1 40에서 [ ]을 뺀 다음 7에서 [ ]을 뺀 수와 더합니다.

방법 2 47에서 3을 빼서 [ ]를 구하고, 그 수에서 [ ]을 뺍니다.

방법 3 47에서 10을 빼서 [ ]을 구하고, 그 수에서 [ ]을 뺍니다.

■ 뺄셈식으로 나타내고 빈칸에 알맞은 수를 써넣으세요.

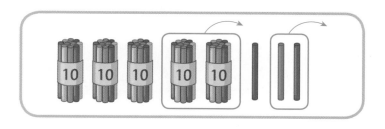 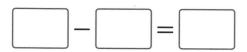

方법 1 50에서 [ ]을 뺀 다음 3에서 [ ]를 뺀 수와 더합니다.

방법 2 53에서 2를 빼서 [ ]을 구하고, 그 수에서 [ ]을 뺍니다.

방법 3 53에서 20을 빼서 [ ]을 구하고, 그 수에서 [ ]를 뺍니다.

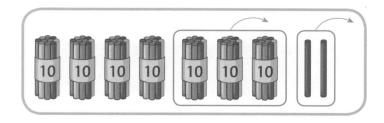 

방법 1 70에서 [ ]을 뺀 다음 [ ]에서 2를 뺀 수와 더합니다.

방법 2 72에서 2를 빼서 [ ]을 구하고, 그 수에서 [ ]을 뺍니다.

방법 3 72에서 [ ]을 빼서 42를 구하고, 그 수에서 [ ]를 뺍니다.

□가 있는 뺄셈

빈칸에 알맞은 수를 써넣으세요.

30에서 10을 빼면 $\boxed{20}$, 7에서 4를 빼면 $\boxed{3}$ 입니다.

$$\begin{array}{r} 3\ 7 \\ -\ 1\ 4 \\ \hline \boxed{2}\ \boxed{3} \end{array}$$

60에서 30을 빼면 $\boxed{}$, 9에서 $\boxed{}$ 를 빼면 4입니다.

$$\begin{array}{r} 6\ 9 \\ -\ 3\ \boxed{} \\ \hline \boxed{}\ 4 \end{array}$$

80에서 $\boxed{}$ 을 빼면 40, $\boxed{}$ 에서 0을 빼면 5입니다.

$$\begin{array}{r} 8\ \boxed{} \\ -\ \boxed{}\ 0 \\ \hline 4\ 5 \end{array}$$

$\boxed{}$ 에서 20을 빼면 50, 7에서 $\boxed{}$ 을 빼면 6입니다.

$$\begin{array}{r} \boxed{}\ 7 \\ -\ 2\ \boxed{} \\ \hline 5\ 6 \end{array}$$

■ 빈칸에 알맞은 수를 써넣으세요.

$$
\begin{array}{r}
5\ 8 \\
-\ 2\ \boxed{} \\
\hline
\boxed{}\ 7
\end{array}
\qquad
\begin{array}{r}
4\ \boxed{} \\
-\ 1\ 2 \\
\hline
\boxed{}\ 2
\end{array}
\qquad
\begin{array}{r}
7\ 9 \\
-\ \boxed{}\ 2 \\
\hline
1\ \boxed{}
\end{array}
$$

$$
\begin{array}{r}
\boxed{}\ 6 \\
-\ 4\ 3 \\
\hline
2\ \boxed{}
\end{array}
\qquad
\begin{array}{r}
8\ 4 \\
-\ 5\ \boxed{} \\
\hline
\boxed{}\ 3
\end{array}
\qquad
\begin{array}{r}
\boxed{}\ 7 \\
-\ 7\ 2 \\
\hline
2\ \boxed{}
\end{array}
$$

$$
\begin{array}{r}
\boxed{}\ 8 \\
-\ 1\ \boxed{} \\
\hline
5\ 4
\end{array}
\qquad
\begin{array}{r}
\boxed{}\ 4 \\
-\ 2\ \boxed{} \\
\hline
3\ 4
\end{array}
\qquad
\begin{array}{r}
\boxed{}\ 6 \\
-\ 4\ \boxed{} \\
\hline
5\ 1
\end{array}
$$

$$
\begin{array}{r}
6\ \boxed{} \\
-\ \boxed{}\ 6 \\
\hline
4\ 2
\end{array}
\qquad
\begin{array}{r}
5\ \boxed{} \\
-\ \boxed{}\ 2 \\
\hline
1\ 7
\end{array}
\qquad
\begin{array}{r}
8\ \boxed{} \\
-\ \boxed{}\ 3 \\
\hline
2\ 2
\end{array}
$$

📘 물음에 답하세요.

바구니에 사탕이 **48**개 있었는데 **6**개를 먹었습니다. 바구니에 남아 있는 사탕은 몇 개일까요?

식 $48 - 6 = 42$ 답   **42**   개

창고에 축구공이 **26**개, 농구공이 **5**개 있습니다. 축구공은 농구공보다 몇 개 더 많을까요?

식 _____ 답 _____ 개

색종이 **75**장이 있었는데 **20**장으로 종이배를 접었습니다. 남아 있는 색종이는 몇 장일까요?

식 _____ 답 _____ 장

책장에 동화책이 **31**권, 위인전이 **59**권 꽂혀 있습니다. 위인전은 동화책보다 몇 권 더 많을까요?

식 _____ 답 _____ 권

■ 물음에 답하세요.

화단에 민들레가 64송이 심어져 있고 해바라기는 민들레보다 50송이 더 적게 심어져 있습니다. 해바라기는 몇 송이 있을까요?

식 _____ 답 _____ 송이

승기는 줄넘기를 42번 넘었고 수민이는 47번 넘었습니다. 수민이는 승기보다 줄넘기를 몇 번 더 넘었을까요?

식 _____ 답 _____ 번

주말 농장에서 은성이는 토마토를 78개 땄고 하윤이는 은성이보다 15개 더 적게 땄습니다. 하윤이는 토마토를 몇 개 땄을까요?

식 _____ 답 _____ 개

민규네 학교의 1학년 학생은 84명, 2학년 학생은 97명입니다. 2학년인 학생은 1학년인 학생보다 몇 명 더 많을까요?

식 _____ 답 _____ 명

70일 뺄셈식 만들기

📖 물음에 답하세요.

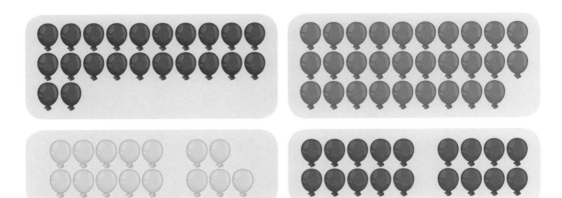

초록색 풍선은 노란색 풍선보다 몇 개 더 많나요?

식 ☐ − ☐ = ☐   답 ☐ 개

초록색 풍선은 보라색 풍선보다 몇 개 더 많나요?

식 ☐ − ☐ = ☐   답 ☐ 개

파란색 풍선 5개가 터졌습니다. 파란색 풍선은 몇 개 남을까요?

식 ☐ − ☐ = ☐   답 ☐ 개

알뜰장터에서 물건을 살 때 필요한 붙임 딱지의 수입니다. 물음에 답하세요.

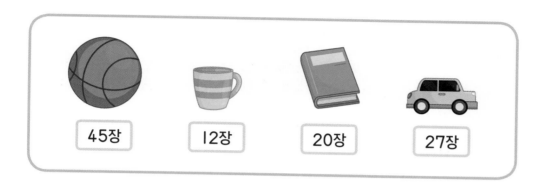

45장   12장   20장   27장

농구공은 책보다 붙임 딱지가 몇 장 더 필요한가요?

식 ☐ − ☐ = ☐   답 ☐ 장

자동차는 컵보다 붙임 딱지가 몇 장 더 필요한가요?

식 ☐ − ☐ = ☐   답 ☐ 장

은성이는 붙임 딱지 59장을 가지고 있습니다. 은성이가 자동차를 사면 붙임 딱지는 몇 장 남을까요?

식 ☐ − ☐ = ☐   답 ☐ 장

그림을 보고 뺄셈식 2개를 만들어 보세요.

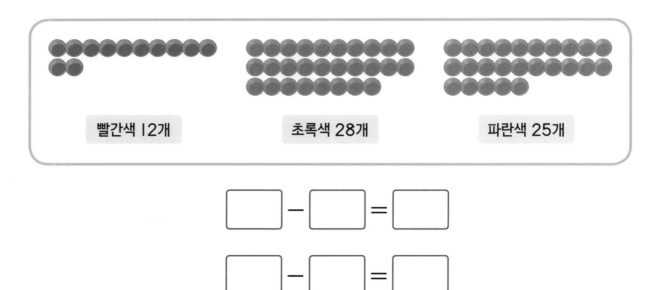

빨간색 12개   초록색 28개   파란색 25개

☐ − ☐ = ☐

☐ − ☐ = ☐

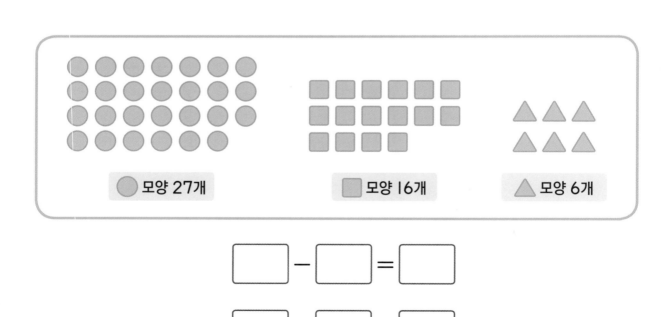

⬤ 모양 27개   ◻ 모양 16개   △ 모양 6개

☐ − ☐ = ☐

☐ − ☐ = ☐

5주차 덧셈과 뺄셈

합과 차의 크기 비교

■ 계산 결과가 가장 큰 식에 ○표 하세요.

$20 + 10$	$14 + 15$	$65 + 33$
$13 + 20$	$25 + 2$	$74 + 22$
$10 + 21$	$17 + 11$	$81 + 14$

$56 - 23$	$36 - 5$	$78 - 26$
$50 - 20$	$40 - 10$	$75 - 21$
$52 - 21$	$45 - 13$	$83 - 32$

$20 + 26$	$39 - 4$	$50 + 24$
$59 - 8$	$5 + 32$	$96 - 23$
$40 + 10$	$48 - 12$	$35 + 42$

📖 계산을 하고 계산 결과가 큰 순서대로 기호를 써 보세요.

㉠ $17 + 31 =$ ☐

㉡ $30 + 15 =$ ☐

㉢ $24 + 22 =$ ☐

(, ,)

㉠ $65 - 13 =$ ☐

㉡ $64 - 14 =$ ☐

㉢ $76 - 21 =$ ☐

(, ,)

㉠ $43 - 11 =$ ☐

㉡ $23 + 12 =$ ☐

㉢ $59 - 23 =$ ☐

(, ,)

㉠ $37 + 32 =$ ☐

㉡ $85 - 13 =$ ☐

㉢ $52 + 13 =$ ☐

(, ,)

두 수의 합과 차

빈칸에 알맞은 수를 써넣으세요.

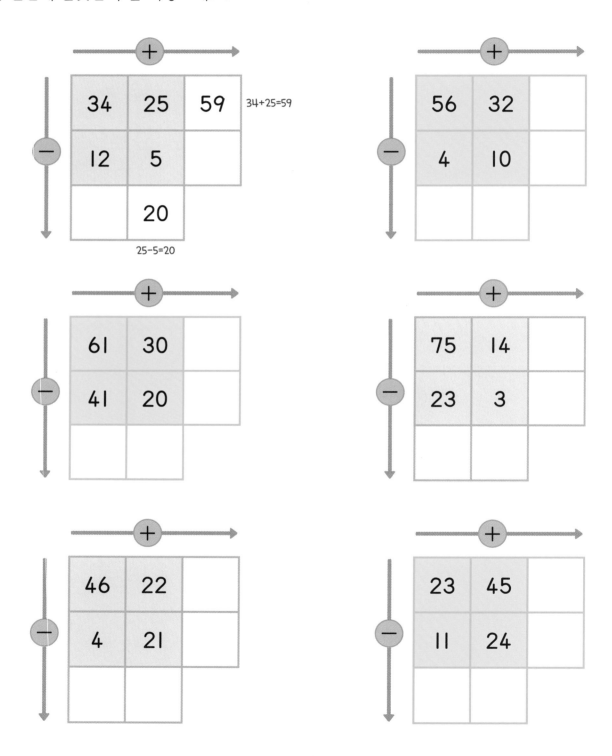

+		
34	25	59
12	5	
	20	

34+25=59

25-5=20

+		
56	32	
4	10	

+		
61	30	
41	20	

+		
75	14	
23	3	

+		
46	22	
4	21	

+		
23	45	
11	24	

수 카드의 수로 덧셈식과 뺄셈식을 하나씩 만들어 보세요.

| 20 | 34 | 4 | 12 |

$$20 + 4 = 24$$

$$\boxed{} - \boxed{} = \boxed{}$$

수 카드의 수로 자유롭게 덧셈식과 뺄셈식을 만듭니다.

| 46 | 2 | 33 | 20 |

$$\boxed{} + \boxed{} = \boxed{}$$

$$\boxed{} - \boxed{} = \boxed{}$$

| 3 | 55 | 24 | 13 |

$$\boxed{} + \boxed{} = \boxed{}$$

$$\boxed{} - \boxed{} = \boxed{}$$

| 34 | 60 | 23 | 3 |

$$\boxed{} + \boxed{} = \boxed{}$$

$$\boxed{} - \boxed{} = \boxed{}$$

| 23 | 12 | 65 | 20 |

$$\boxed{} + \boxed{} = \boxed{}$$

$$\boxed{} - \boxed{} = \boxed{}$$

| 11 | 21 | 32 | 46 |

$$\boxed{} + \boxed{} = \boxed{}$$

$$\boxed{} - \boxed{} = \boxed{}$$

수 카드 중 4장을 골라 주어진 덧셈식과 뺄셈식을 만들어 보세요.

43　47

4　5　8

$\boxed{} + \boxed{} = 48$

$\boxed{} - \boxed{} = 43$

10　40

60　20　80

$\boxed{} + \boxed{} = 70$

$\boxed{} - \boxed{} = 60$

7　11

30　46　52

$\boxed{} + \boxed{} = 57$

$\boxed{} - \boxed{} = 22$

55　54

13　10　12

$\boxed{} + \boxed{} = 65$

$\boxed{} - \boxed{} = 41$

각 상자에서 수를 하나씩 골라 주어진 덧셈식과 뺄셈식을 만들어 보세요.

$\boxed{40} + \boxed{18} = 58$

$\boxed{} - \boxed{} = 51$

56	40
4	35

18	14
26	5

40	34
25	22

27	30
5	13

$\boxed{} + \boxed{} = 39$

$\boxed{} - \boxed{} = 10$

17	42
38	54

7	25
20	3

$\boxed{} + \boxed{} = 79$

$\boxed{} - \boxed{} = 22$

28	27
15	13

12	13
20	23

$\boxed{} + \boxed{} = 38$

$\boxed{} - \boxed{} = 14$

덧셈식과 뺄셈식

과일과 야채의 수를 보고 물음에 답하세요.

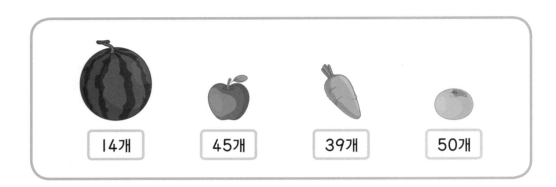

| 14개 | 45개 | 39개 | 50개 |

수박과 귤은 모두 몇 개인가요?

수박과 귤의 수의 합을 구하므로
덧셈식으로 나타냅니다.

식 _____ 답 _____ 개

사과는 수박보다 몇 개 더 많은가요?

식 _____ 답 _____ 개

당근 16개를 팔았습니다. 남은 당근은 몇 개일까요?

식 _____ 답 _____ 개

여러 가지 공의 수를 보고 물음에 답하세요.

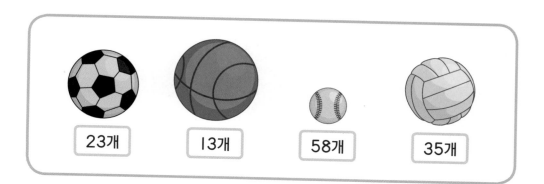

23개   13개   58개   35개

농구공과 배구공은 모두 몇 개인가요?

식 _____   답 _____ 개

축구공은 농구공보다 몇 개 더 많은가요?

식 _____   답 _____ 개

야구공을 31개 더 샀습니다. 야구공은 모두 몇 개일까요?

식 _____   답 _____ 개

75일 연속 덧셈과 뺄셈

📘 빈 곳에 알맞은 수를 써넣으세요.

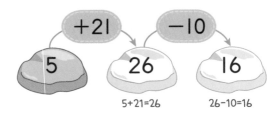

5+21=26 26-10=16

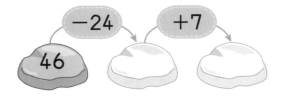

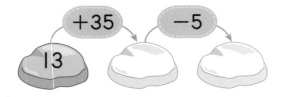

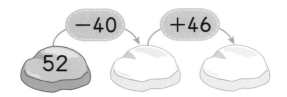

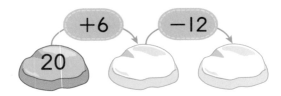

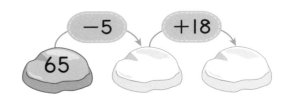

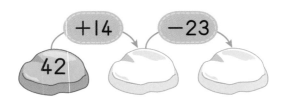

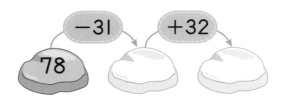

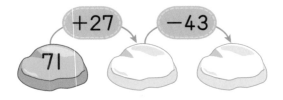

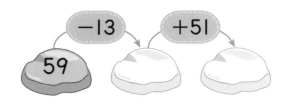

📖 물음에 답하세요.

은서는 밤을 28개 땄습니다. 민재는 은서보다 10개 더 적게 땄고 승기는 민재보다 21개 더 많이 땄습니다. 승기는 밤을 몇 개 땄을까요?

은서: 28개
민재: 28-10=18(개)
승기: 18+21=39(개)

(   )개

유찬이는 연필을 4자루 가지고 있고 시후는 유찬이보다 23자루 더 많이 가지고 있습니다. 가연이는 시후보다 15자루 더 적게 가지고 있다면 가연이는 연필을 몇 자루 가지고 있을까요?

(   )자루

지우는 사탕 46개를 가지고 있었습니다. 이 중에서 13개를 먹고 20개를 더 샀습니다. 지우가 가지고 있는 사탕은 몇 개일까요?

(   )개

1반에는 남학생 13명, 여학생 16명이 있습니다. 이 중에서 안경을 쓴 학생은 12명입니다. 안경을 쓰지 않은 학생은 몇 명일까요?

(   )명

★과 ●은 어떤 수를 나타냅니다. 빈칸에 알맞은 수를 써넣으세요.

$26 + 10 = ★$ (36)

$★ - 5 = ●$ (31)

$● + ★ = \boxed{67}$

$51 + 7 = ★$

$★ - 57 = ●$

$● + ★ = \boxed{}$

$3 + 32 = ★$

$★ - 14 = ●$

$● + ★ = \boxed{}$

$29 - 6 = ★$

$★ + 2 = ●$

$● + ★ = \boxed{}$

$51 - 20 = ★$

$★ + 14 = ●$

$● + ★ = \boxed{}$

$46 - 33 = ★$

$★ + 52 = ●$

$● + ★ = \boxed{}$

하루 한 장 75일
집중 완성

연산원리 상황판단 복합사고 문제해결

교과 연산

정답

초1

A3

받아올림이 없는 두 자리 수의 계산

에듀히어로
Edu HERO

정답

정답

8·9쪽

51 이어서 더하기

빈칸에 알맞은 수를 써넣고 덧셈을 해 보세요.

13하고 14, 15, 16, 17
이므로 17개입니다.

13 14 15 16 17

$13 + 4 = 17$

25 26 27

$25 + 2 = 27$

14 15 16 17 18 19

$14 + 5 = 19$

21 22 23 24

$21 + 3 = 24$

모두 몇 개인지 덧셈식으로 나타내어 보세요.

$17 + 2 = 19$

$23 + 6 = 29$

$15 + 3 = 18$

$21 + 5 = 26$

10·11쪽

52 날개끼리 더하기

그림을 보고 덧셈을 해 보세요.

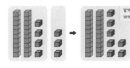

날개 낱개와 3개를 더하면 7,
10개 묶음 2개는 그대로 입니다.

$24 + 3 = 27$

```
  2 4
+   3
  2 7
```

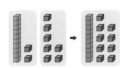

$12 + 7 = 19$

```
  1 2
+   7
  1 9
```

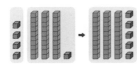

$4 + 31 = 35$

```
    4
+ 3 1
  3 5
```

★ 세로로 덧셈하기

```
  2 4        2 4             2 4
+   3   →  +   3        →  +   3
            7    날개끼리 더하여   2 7
                줄을 맞추어 줍니다.
```

덧셈을 해 보세요.

$20 + 5 = 25$ $52 + 6 = 58$

$34 + 1 = 35$ $43 + 4 = 47$

$7 + 50 = 57$ $2 + 31 = 33$

$5 + 34 = 39$ $3 + 25 = 28$

```
  3 0      4 6      1 4      5 3
+   2    +   1    +   4    +   5
  3 2      4 7      1 8      5 8
```

```
    3        2        3        2
+ 2 3    + 4 1    + 7 2    + 3 7
  2 6      4 3      7 5      3 9
```

12·13쪽

53일 10개 묶음끼리 더하기

월 일

■ 그림을 보고 덧셈을 해 보세요.

10개 묶음 3개와 1개를 더하면 40입니다.

$30 + 10 = \boxed{40}$

$$\begin{array}{r} 3\ 0 \\ +\ 1\ 0 \\ \hline 4\ 0 \end{array}$$

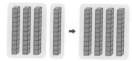

$10 + 20 = \boxed{30}$

$$\begin{array}{r} 1\ 0 \\ +\ 2\ 0 \\ \hline 3\ 0 \end{array}$$

$20 + 30 = \boxed{50}$

$$\begin{array}{r} 2\ 0 \\ +\ 3\ 0 \\ \hline 5\ 0 \end{array}$$

★ 세로로 덧셈하기

$$\begin{array}{r} 3\ 0 \\ +\ 1\ 0 \\ \hline \end{array} \Rightarrow \begin{array}{r} 3\ 0 \\ +\ 1\ 0 \\ \hline 0 \end{array} \Rightarrow \begin{array}{r} 3\ 0 \\ +\ 1\ 0 \\ \hline 4\ 0 \end{array}$$

낱개끼리 줄을 맞추고 10개 묶음끼리 더하여 줄을 맞추어 합니다.

■ 색깔이 같은 수 카드에 적힌 두 수를 더해 보세요.

| 60 | 20 | 30 | 50 | 50 | 20 |
| 30 | 10 | 40 | 20 | 10 | 70 |

빨간색 카드

$\boxed{60} + \boxed{10} = \boxed{70}$

초록색 카드

$\boxed{20} + \boxed{20} = \boxed{40}$

노란색 카드

$\boxed{30} + \boxed{40} = \boxed{70}$
또는 40   30

파란색 카드

$\boxed{50} + \boxed{30} = \boxed{80}$
또는 30   50

보라색 카드

$\boxed{50} + \boxed{10} = \boxed{60}$
또는 10   50

주황색 카드

$\boxed{20} + \boxed{70} = \boxed{90}$
또는 70   20

14·15쪽

54일 10개 묶음, 낱개끼리 더하기

월 일

■ 그림을 보고 덧셈을 해 보세요.

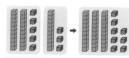

$25 + 13 = \boxed{38}$

$$\begin{array}{r} 2\ 5 \\ +\ 1\ 3 \\ \hline 3\ 8 \end{array}$$

낱개 5개와 3개를 더하면 8, 10개 묶음 2개와 1개를 더하면 30입니다.

$20 + 16 = \boxed{36}$

$$\begin{array}{r} 2\ 0 \\ +\ 1\ 6 \\ \hline 3\ 6 \end{array}$$

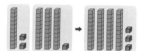

$12 + 31 = \boxed{43}$

$$\begin{array}{r} 1\ 2 \\ +\ 3\ 1 \\ \hline 4\ 3 \end{array}$$

★ 세로로 덧셈하기

$$\begin{array}{r} 2\ 5 \\ +\ 1\ 3 \\ \hline \end{array} \Rightarrow \begin{array}{r} 2\ 5 \\ +\ 1\ 3 \\ \hline 8 \end{array} \Rightarrow \begin{array}{r} 2\ 5 \\ +\ 1\ 3 \\ \hline 3\ 8 \end{array}$$

낱개끼리 더하여 줄을 맞추어 합니다.

10개 묶음끼리 더하여 줄을 맞추어 합니다.

■ 덧셈을 해 보세요.

$31 + 26 = \boxed{57}$ $30 + 17 = \boxed{47}$

$63 + 16 = \boxed{79}$ $24 + 10 = \boxed{34}$

$12 + 75 = \boxed{87}$ $25 + 21 = \boxed{46}$

$27 + 22 = \boxed{49}$ $42 + 13 = \boxed{55}$

$$\begin{array}{r} 6\ 0 \\ +\ 1\ 2 \\ \hline 7\ 2 \end{array} \qquad \begin{array}{r} 2\ 8 \\ +\ 3\ 1 \\ \hline 5\ 9 \end{array} \qquad \begin{array}{r} 4\ 7 \\ +\ 3\ 0 \\ \hline 7\ 7 \end{array} \qquad \begin{array}{r} 1\ 4 \\ +\ 2\ 4 \\ \hline 3\ 8 \end{array}$$

$$\begin{array}{r} 3\ 1 \\ +\ 3\ 4 \\ \hline 6\ 5 \end{array} \qquad \begin{array}{r} 7\ 2 \\ +\ 1\ 5 \\ \hline 8\ 7 \end{array} \qquad \begin{array}{r} 3\ 3 \\ +\ 2\ 5 \\ \hline 5\ 8 \end{array} \qquad \begin{array}{r} 2\ 6 \\ +\ 2\ 1 \\ \hline 4\ 7 \end{array}$$

16·17쪽

55 연속 덧셈

월 일

덧셈을 해 보세요.

14 + 1 = 15
14 + 2 = 16
14 + 3 = 17
14 + 4 = 18
14 + 5 = 19

더하는 수가 1씩 커지면 합도 1씩 커집니다.

31 + 8 = 39
31 + 7 = 38
31 + 6 = 37
31 + 5 = 36
31 + 4 = 35

더하는 수가 1씩 작아지면 합도 1씩 작아집니다.

32 + 13 = 45
33 + 13 = 46
34 + 13 = 47
35 + 13 = 48

25 + 22 = 47
24 + 22 = 46
23 + 22 = 45
22 + 22 = 44

덧셈을 하고 규칙을 찾아 빈칸에 알맞은 수를 써넣으세요.

13 + 1 = 14	13 + 2 = 15	13 + 3 = 16
14 + 1 = 15	14 + 2 = 16	14 + 3 = 17
15 + 1 = 16	15 + 2 = 17	15 + 3 = 18
16 + 1 = 17	16 + 2 = 18	16 + 3 = 19

아래 방향으로 더해지는 수가 1씩 커집니다.
오른쪽 방향으로 더하는 수가 1씩 커집니다.

3 1 + 2 5 5 6	3 3 + 2 4 5 7	3 5 + 2 3 5 8	3 7 + 2 2 5 9
3 2 + 2 4 5 6	3 4 + 2 3 5 7	3 6 + 2 2 5 8	3 8 + 2 1 5 9
3 3 + 2 3 5 6	3 5 + 2 2 5 7	3 7 + 2 1 5 8	3 9 + 2 0 5 9

아래 방향으로 더하는 수는 1씩 작아지고 더해지는 수는 1씩 커집니다.
오른쪽 방향으로 더하는 수는 1씩 작아지고 더해지는 수는 2씩 커집니다.

18쪽

짝지은 두 수를 더하여 바로 위쪽 빈칸에 써넣으세요.

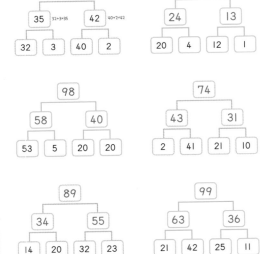

56 지워서 빼기

월 일

🖐 빼는 수만큼 낱개 달걀을 /로 지우고 뺄셈을 해 보세요.

26 − 3 = 23

26에서 거꾸로 25, 24, 23이므로 23개입니다.

18 − 2 = 16

34 − 4 = 30

19 − 8 = 11

27 − 2 = 25

32 − 1 = 31

빼는 수만큼 낱개 달걀을 /로 지우면 정답입니다.

🖐 남은 것은 몇 개인지 뺄셈식으로 나타내어 보세요.

27 − 6 = 21

35 − 3 = 32

18 − 8 = 10

29 − 2 = 27

---

57 낱개끼리 빼기

월 일

🖐 그림을 보고 뺄셈을 해 보세요.

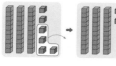

36 − 4 = 32

$$\begin{array}{r} 3\ 6 \\ -\quad 4 \\ \hline 3\ 2 \end{array}$$

낱개 6개에서 4개를 빼면 2,
10개 묶음 3개는 그대로 있습니다.

25 − 5 = 20

$$\begin{array}{r} 2\ 5 \\ -\quad 5 \\ \hline 2\ 0 \end{array}$$

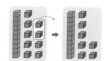

19 − 2 = 17

$$\begin{array}{r} 1\ 9 \\ -\quad 2 \\ \hline 1\ 7 \end{array}$$

★ 세로로 뺄셈하기

$$\begin{array}{r} 3\ 6 \\ -\quad 4 \\ \hline \end{array} \rightarrow \begin{array}{r} 3\ 6 \\ -\quad 4 \\ \hline \ \ 2 \end{array} \rightarrow \begin{array}{r} 3\ 6 \\ -\quad 4 \\ \hline 3\ 2 \end{array}$$

낱개끼리 빼서
줄을 맞추어 씁니다.

🖐 뺄셈을 해 보세요.

18 − 4 = 14   56 − 2 = 54

35 − 1 = 34   43 − 3 = 40

58 − 7 = 51   39 − 4 = 35

24 − 2 = 22   47 − 3 = 44

$$\begin{array}{r} 3\ 4 \\ -\quad 3 \\ \hline 3\ 1 \end{array} \qquad \begin{array}{r} 4\ 9 \\ -\quad 1 \\ \hline 4\ 8 \end{array} \qquad \begin{array}{r} 1\ 8 \\ -\quad 4 \\ \hline 1\ 4 \end{array} \qquad \begin{array}{r} 5\ 7 \\ -\quad 5 \\ \hline 5\ 2 \end{array}$$

$$\begin{array}{r} 2\ 6 \\ -\quad 6 \\ \hline 2\ 0 \end{array} \qquad \begin{array}{r} 6\ 8 \\ -\quad 6 \\ \hline 6\ 2 \end{array} \qquad \begin{array}{r} 3\ 5 \\ -\quad 2 \\ \hline 3\ 3 \end{array} \qquad \begin{array}{r} 7\ 9 \\ -\quad 2 \\ \hline 7\ 7 \end{array}$$

정답 **5**

24·25쪽

58일 10개 묶음끼리 빼기

🗨 그림을 보고 뺄셈을 해 보세요.

10개 묶음 5개에서 2개를 빼면 30입니다.

$50 - 20 = \boxed{30}$

$$\begin{array}{r} 5\,0 \\ -\,2\,0 \\ \hline \boxed{3\,0} \end{array}$$

$30 - 10 = \boxed{20}$

$$\begin{array}{r} 3\,0 \\ -\,1\,0 \\ \hline \boxed{2\,0} \end{array}$$

$60 - 50 = \boxed{10}$

$$\begin{array}{r} 6\,0 \\ -\,5\,0 \\ \hline \boxed{1\,0} \end{array}$$

✲ 세로로 뺄셈하기

$$\begin{array}{r} 5\,0 \\ -\,2\,0 \\ \hline \end{array} \rightarrow \begin{array}{r} 5\,0 \\ -\,2\,0 \\ \hline 0 \end{array} \rightarrow \begin{array}{r} 5\,0 \\ -\,2\,0 \\ \hline 3\,0 \end{array}$$

낱개끼리 줄을 맞추고 10개 묶음끼리 빼서 줄을 맞추어 줍니다.

🗨 색깔이 같은 수 카드에 적힌 두 수의 차를 구해 보세요.

| 80 | 20 | 70 | 60 | 70 | 30 |
| 20 | 60 | 10 | 90 | 40 | 50 |

빨간색 카드

$80 - \boxed{10} = \boxed{70}$

두 수의 차를 구할 때는 큰 수에서 작은 수를 빼야 합니다.

초록색 카드

$50 - \boxed{20} = \boxed{30}$

노란색 카드

$70 - \boxed{30} = \boxed{40}$

파란색 카드

$60 - \boxed{40} = \boxed{20}$

보라색 카드

$70 - \boxed{60} = \boxed{10}$

주황색 카드

$90 - \boxed{20} = \boxed{70}$

26·27쪽

59일 10개 묶음, 낱개끼리 빼기

🗨 그림을 보고 뺄셈을 해 보세요.

낱개 5개에서 1개를 빼면 4, 10개 묶음 3개에서 2개를 빼면 10입니다.

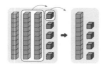

$35 - 21 = \boxed{14}$

$$\begin{array}{r} 3\,5 \\ -\,2\,1 \\ \hline \boxed{1\,4} \end{array}$$

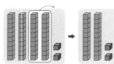

$42 - 20 = \boxed{22}$

$$\begin{array}{r} 4\,2 \\ -\,2\,0 \\ \hline \boxed{2\,2} \end{array}$$

$27 - 23 = \boxed{4}$

$$\begin{array}{r} 2\,7 \\ -\,2\,3 \\ \hline \boxed{4} \end{array}$$

✲ 세로로 뺄셈하기

$$\begin{array}{r} 3\,5 \\ -\,2\,1 \\ \hline \end{array} \rightarrow \begin{array}{r} 3\,5 \\ -\,2\,1 \\ \hline 4 \end{array} \rightarrow \begin{array}{r} 3\,5 \\ -\,2\,1 \\ \hline 1\,4 \end{array}$$

낱개끼리 빼서 줄을 맞추어 줍니다.

10개 묶음끼리 빼서 줄을 맞추어 줍니다.

🗨 뺄셈을 해 보세요.

$57 - 22 = \boxed{35}$

$36 - 16 = \boxed{20}$

$69 - 13 = \boxed{56}$

$51 - 20 = \boxed{31}$

$76 - 64 = \boxed{12}$

$95 - 41 = \boxed{54}$

$58 - 51 = \boxed{7}$

$65 - 42 = \boxed{23}$

$$\begin{array}{r} 6\,2 \\ -\,1\,0 \\ \hline \boxed{5\,2} \end{array} \quad \begin{array}{r} 8\,9 \\ -\,3\,1 \\ \hline \boxed{5\,8} \end{array} \quad \begin{array}{r} 7\,3 \\ -\,4\,3 \\ \hline \boxed{3\,0} \end{array} \quad \begin{array}{r} 5\,9 \\ -\,3\,5 \\ \hline \boxed{2\,4} \end{array}$$

$$\begin{array}{r} 7\,9 \\ -\,3\,7 \\ \hline \boxed{4\,2} \end{array} \quad \begin{array}{r} 4\,7 \\ -\,4\,2 \\ \hline \boxed{5} \end{array} \quad \begin{array}{r} 8\,8 \\ -\,6\,7 \\ \hline \boxed{2\,1} \end{array} \quad \begin{array}{r} 9\,4 \\ -\,2\,1 \\ \hline \boxed{7\,3} \end{array}$$

60 연속 뺄셈

뺄셈을 해 보세요.

$18 - 3 = 15$
$18 - 4 = 14$
$18 - 5 = 13$
$18 - 6 = 12$
$18 - 7 = 11$

빼는 수가 1씩 커지면 차는 1씩 작아집니다.

$25 - 5 = 20$
$26 - 5 = 21$
$27 - 5 = 22$
$28 - 5 = 23$
$29 - 5 = 24$

빼지는 수가 1씩 커지면 차도 1씩 커집니다.

$46 - 15 = 31$
$46 - 14 = 32$
$46 - 13 = 33$
$46 - 12 = 34$

빼는 수가 1씩 작아지면 차는 1씩 커집니다.

$47 - 20 = 27$
$46 - 20 = 26$
$45 - 20 = 25$
$44 - 20 = 24$

빼지는 수가 1씩 작아지면 차도 1씩 작아집니다.

뺄셈을 하고 규칙을 찾아 빈칸에 알맞은 수를 써넣으세요.

$26 - 4 = 22$ $27 - 4 = 23$ $28 - 4 = 24$
$26 - 3 = 23$ $27 - 3 = 24$ $28 - 3 = 25$
$26 - 2 = 24$ $27 - 2 = 25$ $28 - 2 = 26$
$26 - 1 = 25$ $27 - 1 = 26$ $28 - 1 = 27$

아래 방향으로 빼는 수가 1씩 작아집니다.
오른쪽 방향으로 빼지는 수가 1씩 커집니다.

3 5 − 2 2 **1 3**	3 5 − 2 3 **1 2**	3 5 − 2 4 **1 1**	3 5 − **2 5** **1 0**
3 6 − 2 3 **1 3**	3 6 − 2 4 **1 2**	3 6 − **2 5** **1 1**	3 6 − 2 6 **1 0**
3 7 − 2 4 **1 3**	3 7 − **2 5** **1 2**	3 7 − 2 6 **1 1**	3 7 − 2 7 **1 0**

아래 방향으로 빼지는 수와 빼는 수가 각각 1씩 커집니다.
오른쪽 방향으로 빼는 수가 1씩 커집니다.

짝지은 두 수의 차를 바로 아래쪽 빈칸에 써넣으세요.

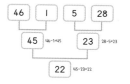

46 1 5 28
45 (46-1=45) 23 (28-5=23)
22 (45-23=22)

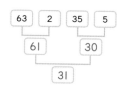

63 2 35 5
61 30
31

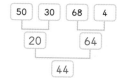

50 30 68 4
20 64
44

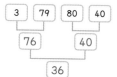

3 79 80 40
76 40
36

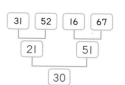

31 52 16 67
21 51
30

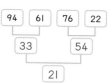

94 61 76 22
33 54
21

32·33쪽

61 두 수 골라 더하기

월 일

■ 가장 큰 수와 가장 작은 수를 더해 보세요.

| 50 | 61 | 5 | 7 |

$\boxed{61} + \boxed{5} = \boxed{66}$

가장 큰 수 61, 가장 작은 수 5

| 21 | 9 | 30 | 7 |

$\boxed{30} + \boxed{7} = \boxed{37}$

또는 7   30

| 50 | 10 | 40 | 20 |

$\boxed{50} + \boxed{10} = \boxed{60}$

또는 10   50

| 72 | 30 | 41 | 20 |

$\boxed{72} + \boxed{20} = \boxed{92}$

또는 20   72

| 13 | 27 | 45 | 32 |

$\boxed{45} + \boxed{13} = \boxed{58}$

또는 13   45

| 42 | 84 | 12 | 51 |

$\boxed{84} + \boxed{12} = \boxed{96}$

또는 12   84

| 54 | 35 | 56 | 22 |

$\boxed{56} + \boxed{22} = \boxed{78}$

또는 22   56

| 50 | 24 | 63 | 47 |

$\boxed{63} + \boxed{24} = \boxed{87}$

또는 24   63

■ 같은 모양에 적힌 두 수의 합을 구해 보세요.

5   63   20   18   41   4

● (45)   5+41=45
■ (67)   63+4=67
▲ (38)   20+18=38

52   6   12   31   35   30

● (37)   6+31=37
■ (64)   52+12=64
▲ (65)   35+30=65

13   42   65   23   37   34

● (88)   65+23=88
■ (79)   42+37=79
▲ (47)   13+34=47

32 교과연산 A3

3주차. 받아올림이 없는 덧셈 (2) 33

34·35쪽

62 여러 가지 덧셈 방법

월 일

■ 덧셈식으로 나타내고 빈칸에 알맞은 수를 써넣으세요.

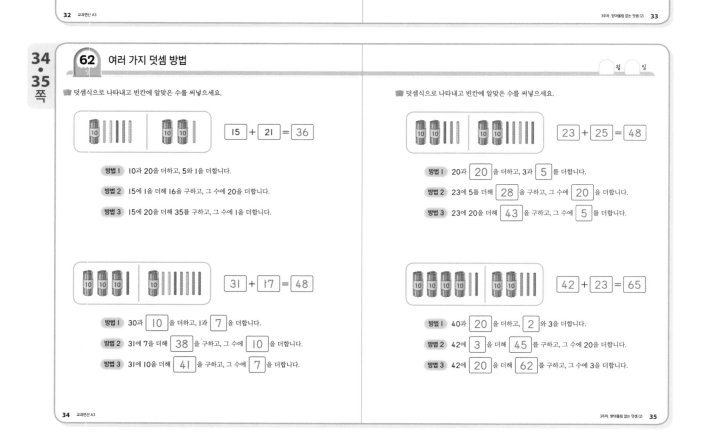

$\boxed{15} + \boxed{21} = \boxed{36}$

방법 1 10과 20을 더하고, 5와 1을 더합니다.

방법 2 15에 1을 더해 16을 구하고, 그 수에 20을 더합니다.

방법 3 15에 20을 더해 35를 구하고, 그 수에 1을 더합니다.

$\boxed{31} + \boxed{17} = \boxed{48}$

방법 1 30과 $\boxed{10}$ 을 더하고, 1과 $\boxed{7}$ 을 더합니다.

방법 2 31에 7을 더해 $\boxed{38}$ 을 구하고, 그 수에 $\boxed{10}$ 을 더합니다.

방법 3 31에 10을 더해 $\boxed{41}$ 을 구하고, 그 수에 $\boxed{7}$ 을 더합니다.

■ 덧셈식으로 나타내고 빈칸에 알맞은 수를 써넣으세요.

$\boxed{23} + \boxed{25} = \boxed{48}$

방법 1 20과 $\boxed{20}$ 을 더하고, 3과 $\boxed{5}$ 를 더합니다.

방법 2 23에 5를 더해 $\boxed{28}$ 을 구하고, 그 수에 $\boxed{20}$ 을 더합니다.

방법 3 23에 20을 더해 $\boxed{43}$ 을 구하고, 그 수에 $\boxed{5}$ 를 더합니다.

$\boxed{42} + \boxed{23} = \boxed{65}$

방법 1 40과 $\boxed{20}$ 을 더하고, $\boxed{2}$ 와 3을 더합니다.

방법 2 42에 $\boxed{3}$ 을 더해 $\boxed{45}$ 를 구하고, 그 수에 20을 더합니다.

방법 3 42에 $\boxed{20}$ 을 더해 $\boxed{62}$ 를 구하고, 그 수에 3을 더합니다.

34 교과연산 A3

3주차. 받아올림이 없는 덧셈 (2) 35

63강 □가 있는 덧셈

3주차. 받아올림 없는 덧셈 (2)

■ 빈칸에 알맞은 수를 써넣으세요.

20과 10을 더하면 **30** , 5와 3을 더하면 **8** 입니다.

$$\begin{array}{r} 2\ 5 \\ +\ 1\ 3 \\ \hline 3\ 8 \end{array}$$

50과 30을 더하면 **80** , 4와 **1** 을 더하면 5입니다.

$$\begin{array}{r} 5\ 4 \\ +\ 3\ 1 \\ \hline 8\ 5 \end{array}$$

30과 **10** 을 더하면 40, **5** 와 2를 더하면 7입니다.

$$\begin{array}{r} 3\ 5 \\ +\ 1\ 2 \\ \hline 4\ 7 \end{array}$$

40 과 10을 더하면 50, 0과 **3** 을 더하면 3입니다.

$$\begin{array}{r} 4\ 0 \\ +\ 1\ 3 \\ \hline 5\ 3 \end{array}$$

■ 빈칸에 알맞은 수를 써넣으세요.

$$\begin{array}{r} 2\ 6 \\ +\ 4\ 2 \\ \hline 6\ 8 \end{array} \qquad \begin{array}{r} 6\ 3 \\ +\ 1\ 2 \\ \hline 7\ 5 \end{array} \qquad \begin{array}{r} 2\ 4 \\ +\ 4\ 3 \\ \hline 6\ 7 \end{array}$$

$$\begin{array}{r} 2\ 1 \\ +\ 2\ 8 \\ \hline 4\ 9 \end{array} \qquad \begin{array}{r} 3\ 4 \\ +\ 2\ 5 \\ \hline 5\ 9 \end{array} \qquad \begin{array}{r} 1\ 5 \\ +\ 7\ 2 \\ \hline 8\ 7 \end{array}$$

$$\begin{array}{r} 3\ 1 \\ +\ 3\ 2 \\ \hline 6\ 3 \end{array} \qquad \begin{array}{r} 2\ 2 \\ +\ 4\ 6 \\ \hline 6\ 8 \end{array} \qquad \begin{array}{r} 5\ 6 \\ +\ 3\ 0 \\ \hline 8\ 6 \end{array}$$

$$\begin{array}{r} 2\ 4 \\ +\ 7\ 0 \\ \hline 9\ 4 \end{array} \qquad \begin{array}{r} 1\ 4 \\ +\ 6\ 5 \\ \hline 7\ 9 \end{array} \qquad \begin{array}{r} 7\ 1 \\ +\ 2\ 4 \\ \hline 9\ 5 \end{array}$$

64강 이야기하기

■ 물음에 답하세요.

교실에 학생 20명이 있었는데 4명이 더 들어왔습니다. 교실에 있는 학생은 모두 몇 명일까요?

식 __20+4=24__   답 __24__ 명

색연필 57자루가 있는데 12자루를 더 샀습니다. 색연필은 모두 몇 자루 있을까요?

식 __57+12=69__   답 __69__ 자루

화단에 해바라기 15송이와 튤립 33송이가 있습니다. 화단에 있는 꽃은 모두 몇 송이일까요?

식 __15+33=48__   답 __48__ 송이
또는 33+15=48

민성이는 어제 줄넘기를 52번 넘고 오늘 34번 넘었습니다. 민성이는 어제와 오늘 줄넘기를 모두 몇 번 넘었을까요?

식 __52+34=86__   답 __86__ 번
또는 34+52=86

■ 물음에 답하세요.

공원에 소나무 30그루와 느티나무 40그루가 있습니다. 공원에 있는 나무는 모두 몇 그루일까요?

식 __30+40=70__   답 __70__ 그루
또는 40+30=70

공연장에 입장하기 위해 64명이 줄을 서 있었는데 13명이 더 와서 줄을 섰습니다. 줄을 서 있는 사람은 모두 몇 명일까요?

식 __64+13=77__   답 __77__ 명

어느 도시에서 7월에 비가 온 날은 10일, 8월에 비가 온 날은 16일이었습니다. 이 도시에서 7월과 8월에 비가 온 날은 모두 며칠일까요?

식 __10+16=26__   답 __26__ 일
또는 16+10=26

서윤이는 동화책을 42쪽 읽고 위인전도 동화책과 같은 쪽수만큼 읽었습니다. 서윤이는 책을 모두 몇 쪽 읽었을까요?

식 __42+42=84__   답 __84__ 쪽

정답

65 덧셈식 만들기

월 일

🍎 주원이네 집에 있는 과일입니다. 물음에 답하세요.

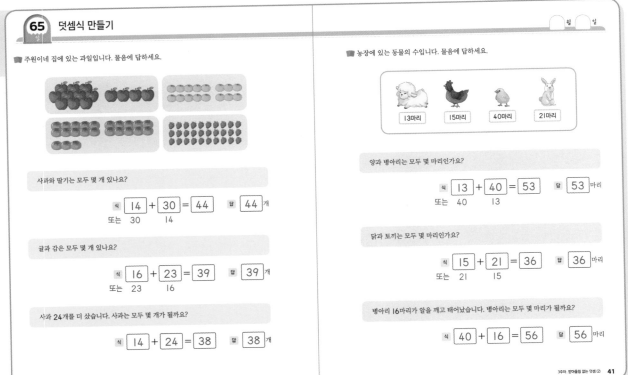

사과와 딸기는 모두 몇 개 있나요?

식 $\boxed{14} + \boxed{30} = \boxed{44}$ 답 $\boxed{44}$ 개

또는 30　14

귤과 감은 모두 몇 개 있나요?

식 $\boxed{16} + \boxed{23} = \boxed{39}$ 답 $\boxed{39}$ 개

또는 23　16

사과 **24**개를 더 샀습니다. 사과는 모두 몇 개가 될까요?

식 $\boxed{14} + \boxed{24} = \boxed{38}$ 답 $\boxed{38}$ 개

🐑 농장에 있는 동물의 수입니다. 물음에 답하세요.

🐑	🐔	🐤	🐰
13마리	15마리	40마리	21마리

양과 병아리는 모두 몇 마리인가요?

식 $\boxed{13} + \boxed{40} = \boxed{53}$ 답 $\boxed{53}$ 마리

또는 40　13

닭과 토끼는 모두 몇 마리인가요?

식 $\boxed{15} + \boxed{21} = \boxed{36}$ 답 $\boxed{36}$ 마리

또는 21　15

병아리 **16**마리가 알을 깨고 태어났습니다. 병아리는 모두 몇 마리가 될까요?

식 $\boxed{40} + \boxed{16} = \boxed{56}$ 답 $\boxed{56}$ 마리

🔺 그림을 보고 덧셈식 **2**개를 만들어 보세요.

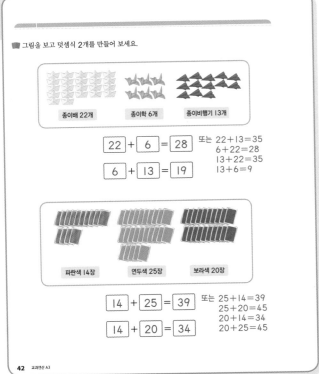

종이배 22개	종이학 6개	종이비행기 13개

$\boxed{22} + \boxed{6} = \boxed{28}$　또는 22+13=35
$\boxed{6} + \boxed{13} = \boxed{19}$　　6+22=28
　　　　　　　　　　13+22=35
　　　　　　　　　　13+6=9

파란색 14장	연두색 25장	보라색 20장

$\boxed{14} + \boxed{25} = \boxed{39}$　또는 25+14=39
$\boxed{14} + \boxed{20} = \boxed{34}$　　25+20=45
　　　　　　　　　　20+14=34
　　　　　　　　　　20+25=45

66 두 수 골라 빼기

📛 가장 큰 수와 가장 작은 수의 차를 구해 보세요.

| 39 | 45 | 8 | 4 |

45 − 4 = 41

가장 큰 수: 45, 가장 작은 수: 4

| 50 | 40 | 90 | 70 |

90 − 40 = 50

| 19 | 38 | 54 | 79 |

79 − 19 = 60

| 47 | 22 | 65 | 50 |

65 − 22 = 43

| 6 | 28 | 5 | 25 |

28 − 5 = 23

| 67 | 50 | 31 | 20 |

67 − 20 = 47

| 32 | 87 | 26 | 52 |

87 − 26 = 61

| 21 | 35 | 81 | 92 |

92 − 21 = 71

📛 같은 모양에 적힌 두 수의 차를 구해 보세요.

| 48 | 30 | 56 |
| 5 | 70 | 12 |

● (36) 48−12=36
■ (40)
70−30=40
▲ (51)
56−5=51

| 6 | 95 | 31 |
| 64 | 37 | 20 |

● (75)
95−20=75
■ (31)
37−6=31
▲ (33)
64−31=33

| 26 | 13 | 23 |
| 64 | 89 | 45 |

● (3)
26−23=3
■ (25)
89−64=25
▲ (32)
45−13=32

---

67 여러 가지 뺄셈 방법

📛 뺄셈식으로 나타내고 빈칸에 알맞은 수를 써넣으세요.

26 − 12 = 14

방법 1 20에서 10을 뺀 다음 6에서 2를 뺀 수와 더합니다.

방법 2 26에서 2를 빼서 24를 구하고, 그 수에서 10을 뺍니다.

방법 3 26에서 10을 빼서 16을 구하고, 그 수에서 2를 뺍니다.

47 − 13 = 34

방법 1 40에서 10 을 뺀 다음 7에서 3 을 뺀 수와 더합니다.

방법 2 47에서 3를 빼서 44 를 구하고, 그 수에서 10 을 뺍니다.

방법 3 47에서 10을 빼서 37 을 구하고, 그 수에서 3 을 뺍니다.

📛 뺄셈식으로 나타내고 빈칸에 알맞은 수를 써넣으세요.

53 − 22 = 31

방법 1 50에서 20 을 뺀 다음 3에서 2 를 뺀 수와 더합니다.

방법 2 53에서 2를 빼서 51 을 구하고, 그 수에서 20 을 뺍니다.

방법 3 53에서 20을 빼서 33 을 구하고, 그 수에서 2 를 뺍니다.

72 − 32 = 40

방법 1 70에서 30 을 뺀 다음 2 에서 2를 뺀 수와 더합니다.

방법 2 72에서 2를 빼서 70 을 구하고, 그 수에서 30 을 뺍니다.

방법 3 72에서 30을 빼서 42를 구하고, 그 수에서 2 를 뺍니다.

68 □가 있는 뺄셈

월 일

■ 빈칸에 알맞은 수를 써넣으세요.

30에서 10을 빼면 **20**, 7에서 4를 빼면 **3**입니다.

$$\begin{array}{r} 3\ 7 \\ -\ 1\ 4 \\ \hline \boxed{2}\ \boxed{3} \end{array}$$

60에서 30을 빼면 **30**, 9에서 **5**를 빼면 4입니다.

$$\begin{array}{r} 6\ 9 \\ -\ 3\ \boxed{5} \\ \hline 3\ 4 \end{array}$$

80에서 **40**을 빼면 40, **5**에서 0을 빼면 5입니다.

$$\begin{array}{r} 8\ 5 \\ -\ \boxed{4}\ 0 \\ \hline 4\ 5 \end{array}$$

70에서 20을 빼면 50, 7에서 **1**을 빼면 6입니다.

$$\begin{array}{r} \boxed{7}\ 7 \\ -\ 2\ \boxed{1} \\ \hline 5\ 6 \end{array}$$

■ 빈칸에 알맞은 수를 써넣으세요.

$$\begin{array}{r} 5\ 8 \\ -\ 2\ \boxed{1} \\ \hline 3\ 7 \end{array} \qquad \begin{array}{r} 4\ \boxed{4} \\ -\ 1\ 2 \\ \hline 3\ 2 \end{array} \qquad \begin{array}{r} 7\ 9 \\ -\ \boxed{6}\ 2 \\ \hline 1\ 7 \end{array}$$

$$\begin{array}{r} \boxed{6}\ 6 \\ -\ 4\ 3 \\ \hline 2\ 3 \end{array} \qquad \begin{array}{r} 8\ 4 \\ -\ 5\ \boxed{1} \\ \hline 3\ 3 \end{array} \qquad \begin{array}{r} \boxed{9}\ 7 \\ -\ 7\ 2 \\ \hline 2\ 5 \end{array}$$

$$\begin{array}{r} \boxed{6}\ 8 \\ -\ 1\ \boxed{4} \\ \hline 5\ 4 \end{array} \qquad \begin{array}{r} \boxed{5}\ 4 \\ -\ 2\ \boxed{0} \\ \hline 3\ 4 \end{array} \qquad \begin{array}{r} \boxed{9}\ 6 \\ -\ 4\ \boxed{5} \\ \hline 5\ 1 \end{array}$$

$$\begin{array}{r} 6\ \boxed{8} \\ -\ 2\ 6 \\ \hline 4\ 2 \end{array} \qquad \begin{array}{r} 5\ \boxed{9} \\ -\ \boxed{4}\ 2 \\ \hline 1\ 7 \end{array} \qquad \begin{array}{r} 8\ \boxed{5} \\ -\ \boxed{6}\ 3 \\ \hline 2\ 2 \end{array}$$

69 이야기하기

월 일

■ 물음에 답하세요.

바구니에 사탕이 48개 있었는데 6개를 먹었습니다. 바구니에 남아 있는 사탕은 몇 개일까요?

식 **48-6=42**   답 **42** 개

창고에 축구공이 26개, 농구공이 5개 있습니다. 축구공은 농구공보다 몇 개 더 많을까요?

식 **26-5=21**   답 **21** 개

색종이가 75장이 있었는데 20장으로 종이배를 접었습니다. 남아 있는 색종이는 몇 장일까요?

식 **75-20=55**   답 **55** 장

책장에 동화책이 31권, 위인전이 59권 꽂혀 있습니다. 위인전은 동화책보다 몇 권 더 많을까요?

식 **59-31=28**   답 **28** 권

■ 물음에 답하세요.

화단에 민들레가 64송이 심어져 있고 해바라기는 민들레보다 50송이 더 적게 심어져 있습니다. 해바라기는 몇 송이 있을까요?

식 **64-50=14**   답 **14** 송이

승기는 줄넘기를 42번 넘었고 수민이는 47번 넘었습니다. 수민이는 승기보다 줄넘기를 몇 번 더 넘었을까요?

식 **47-42=5**   답 **5** 번

주말 농장에서 은성이는 토마토를 78개 땄고 하윤이는 은성이보다 15개 더 적게 땄습니다. 하윤이는 토마토를 몇 개 땄을까요?

식 **78-15=63**   답 **63** 개

민규네 학교의 1학년 학생은 84명, 2학년 학생은 97명입니다. 2학년인 학생은 1학년인 학생보다 몇 명 더 많을까요?

식 **97-84=13**   답 **13** 명

70 뺄셈식 만들기

📖 물음에 답하세요.

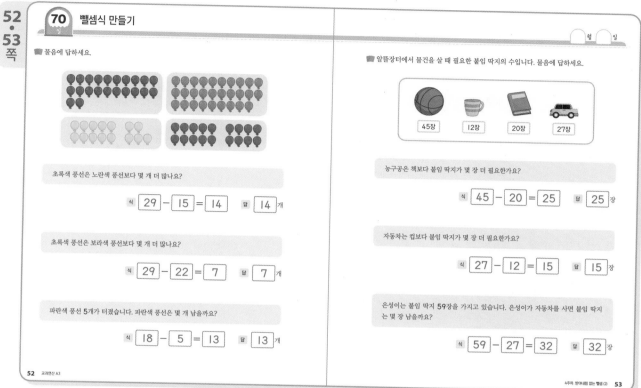

초록색 풍선은 노란색 풍선보다 몇 개 더 많나요?

식 $29 - 15 = 14$ 답 14 개

초록색 풍선은 보라색 풍선보다 몇 개 더 많나요?

식 $29 - 22 = 7$ 답 7 개

파란색 풍선 5개가 터졌습니다. 파란색 풍선은 몇 개 남을까요?

식 $18 - 5 = 13$ 답 13 개

📖 알뜰장터에서 물건을 살 때 필요한 붙임 딱지의 수입니다. 물음에 답하세요.

| 45장 | 12장 | 20장 | 27장 |

농구공은 책보다 붙임 딱지가 몇 장 더 필요한가요?

식 $45 - 20 = 25$ 답 25 장

자동차는 컵보다 붙임 딱지가 몇 장 더 필요한가요?

식 $27 - 12 = 15$ 답 15 장

은성이는 붙임 딱지 59장을 가지고 있습니다. 은성이가 자동차를 사면 붙임 딱지는 몇 장 남을까요?

식 $59 - 27 = 32$ 답 32 장

📖 그림을 보고 뺄셈식 2개를 만들어 보세요.

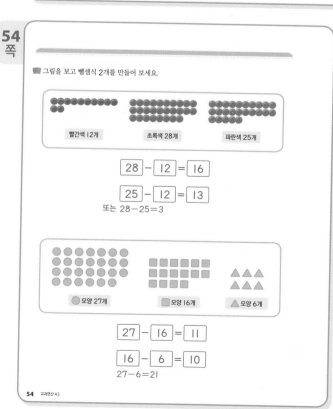

빨간색 12개   초록색 28개   파란색 25개

$28 - 12 = 16$

$25 - 12 = 13$

또는 28−25=3

⬤모양 27개   ⬛모양 16개   🔺모양 6개

$27 - 16 = 11$

$16 - 6 = 10$

27−6=21

56·57쪽

71 합과 차의 크기 비교

월 일

■ 계산 결과가 가장 큰 식에 ○표 하세요.

20 + 10	(14 + 15)	(65 + 33)
(13 + 20)	25 + 2	74 + 22
10 + 21	17 + 11	81 + 14

(56 − 23)	36 − 5	78 − 26
50 − 20	40 − 10	(75 − 21)
52 − 21	(45 − 13)	83 − 32

20 + 26	39 − 4	50 + 24
(59 − 8)	(5 + 32)	96 − 23
40 + 10	48 − 12	(35 + 42)

■ 계산을 하고 계산 결과가 큰 순서대로 기호를 써 보세요.

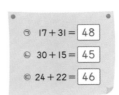

㉠ 17 + 31 = 48
㉡ 30 + 15 = 45
㉢ 24 + 22 = 46

(㉠ , ㉢ , ㉡)

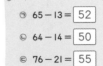

㉠ 65 − 13 = 52
㉡ 64 − 14 = 50
㉢ 76 − 21 = 55

(㉢ , ㉠ , ㉡)

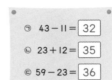

㉠ 43 − 11 = 32
㉡ 23 + 12 = 35
㉢ 59 − 23 = 36

(㉢ , ㉡ , ㉠)

㉠ 37 + 32 = 69
㉡ 85 − 13 = 72
㉢ 52 + 13 = 65

(㉡ , ㉠ , ㉢)

56 교과연산 A3

5주차 · 덧셈과 뺄셈 57

58·59쪽

72 두 수의 합과 차

월 일

■ 빈칸에 알맞은 수를 써넣으세요.

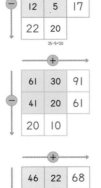

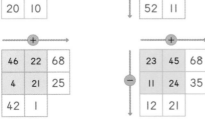

첫 번째:
+ : 34, 25, 59 (34+25=59)
− : 12, 5, 17
  22, 20 (25−5=20)

56, 32, 88
4, 10, 14
52, 22

61, 30, 91
41, 20, 61
20, 10

75, 14, 89
23, 3, 26
52, 11

46, 22, 68
4, 21, 25
42, 1

23, 45, 68
11, 24, 35
12, 21

■ 수 카드의 수로 덧셈식과 뺄셈식을 하나씩 만들어 보세요.

| 20 | 34 | 4 | 12 |

20 + 4 = 24
34 − 12 = 22

수 카드의 수로 자유롭게 덧셈식과 뺄셈식을 만듭니다.

| 46 | 2 | 33 | 20 |

46 + 2 = 48
33 − 20 = 13

| 3 | 55 | 24 | 13 |

3 + 24 = 27
24 − 13 = 11

| 34 | 60 | 23 | 3 |

60 + 23 = 83
34 − 3 = 31

| 23 | 12 | 65 | 20 |

23 + 12 = 35
65 − 20 = 45

| 11 | 21 | 32 | 46 |

11 + 32 = 43
21 − 11 = 10

여러 가지 방법으로 덧셈식과 뺄셈식을 만들 수 있습니다.

58 교과연산 A3

5주차 · 덧셈과 뺄셈 59

14 교과연산 A3

73 목표수 만들기

월 일

📋 수 카드 중 4장을 골라 주어진 덧셈식과 뺄셈식을 만들어 보세요.

| 43 | 47 |
| 4 | 5 | 8 |

또는 5   43

$\boxed{43} + \boxed{5} = 48$

$\boxed{47} - \boxed{4} = 43$

| 10 | 40 |
| 60 | 20 | 80 |

또는 60   10

$\boxed{10} + \boxed{60} = 70$

$\boxed{80} - \boxed{20} = 60$

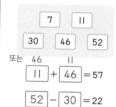

| 7 | 11 |
| 30 | 46 | 52 |

또는 46   11

$\boxed{11} + \boxed{46} = 57$

$\boxed{52} - \boxed{30} = 22$

| 55 | 54 |
| 13 | 10 | 12 |

또는 10   55

$\boxed{55} + \boxed{10} = 65$

$\boxed{54} - \boxed{13} = 41$

📋 각 상자에서 수를 하나씩 골라 주어진 덧셈식과 뺄셈식을 만들어 보세요.

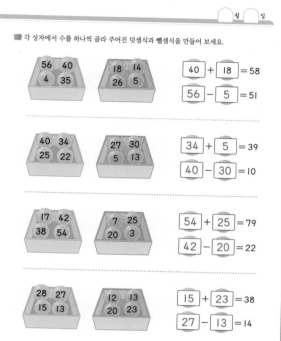

| 56 | 40 |
| 4 | 35 |

| 18 | 14 |
| 26 | 5 |

$\boxed{40} + \boxed{18} = 58$

$\boxed{56} - \boxed{5} = 51$

| 40 | 34 |
| 25 | 22 |

| 27 | 30 |
| 13 | 5 |

$\boxed{34} + \boxed{5} = 39$

$\boxed{40} - \boxed{30} = 10$

| 17 | 42 |
| 38 | 54 |

| 7 | 25 |
| 20 | 3 |

$\boxed{54} + \boxed{25} = 79$

$\boxed{42} - \boxed{20} = 22$

| 28 | 27 |
| 15 | 13 |

| 12 | 15 |
| 20 | 23 |

$\boxed{15} + \boxed{23} = 38$

$\boxed{27} - \boxed{13} = 14$

 74 덧셈식과 뺄셈식

월 일

📋 과일과 야채의 수를 보고 물음에 답하세요.

| 14개 | 45개 | 39개 | 50개 |

수박과 귤은 모두 몇 개인가요?

 수박과 귤의 수의 합을 구하므로 덧셈식으로 나타냅니다.

식 $14 + 50 = 64$ 답 64 개
또는 50+14=64

사과는 수박보다 몇 개 더 많은가요?

식 $45 - 14 = 31$ 답 31 개

당근 16개를 팔았습니다. 남은 당근은 몇 개일까요?

식 $39 - 16 = 23$ 답 23 개

📋 여러 가지 공의 수를 보고 물음에 답하세요.

| 23개 | 13개 | 58개 | 35개 |

농구공과 배구공은 모두 몇 개인가요?

식 $13 + 35 = 48$ 답 48 개
35+13=48

축구공은 농구공보다 몇 개 더 많은가요?

식 $23 - 13 = 10$ 답 10 개

야구공을 31개 더 샀습니다. 야구공은 모두 몇 개일까요?

식 $58 + 31 = 89$ 답 89 개

64·65쪽

75 연속 덧셈과 뺄셈

■ 빈 곳에 알맞은 수를 써넣으세요.

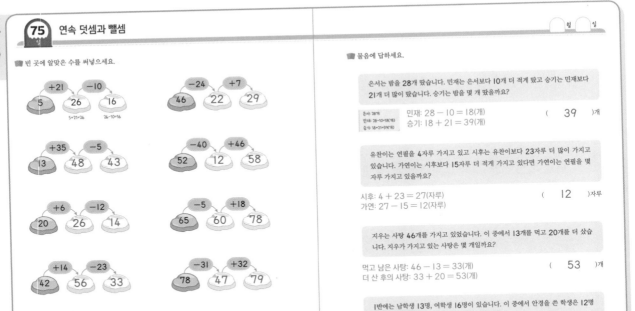

5 →(+21)→ 26 →(−10)→ 16
5+21=26 26−10=16

46 →(−24)→ 22 →(+7)→ 29

13 →(+35)→ 48 →(−5)→ 43

52 →(−40)→ 12 →(+46)→ 58

20 →(+6)→ 26 →(−12)→ 14

65 →(−5)→ 60 →(+18)→ 78

42 →(+14)→ 56 →(−23)→ 33

78 →(−31)→ 47 →(+32)→ 79

71 →(+27)→ 98 →(−43)→ 55

59 →(−13)→ 46 →(+51)→ 97

■ 물음에 답하세요.

은서는 밤을 28개 땄습니다. 민재는 은서보다 10개 더 적게 땄고 승기는 민재보다 21개 더 많이 땄습니다. 승기는 밤을 몇 개 땄을까요?

은서: 28개
민재: 28−10=18(개)
승기: 18+21=39(개)

민재: 28 − 10 = 18(개)
승기: 18 + 21 = 39(개)

(39)개

유찬이는 연필을 4자루 가지고 있고 시후는 유찬이보다 23자루 더 많이 가지고 있습니다. 가연이는 시후보다 15자루 더 적게 가지고 있다면 가연이는 연필을 몇 자루 가지고 있을까요?

시후: 4 + 23 = 27(자루)
가연: 27 − 15 = 12(자루)

(12)자루

지우는 사탕 46개를 가지고 있었습니다. 이 중에서 13개를 먹고 20개를 더 샀습니다. 지우가 가지고 있는 사탕은 몇 개일까요?

먹고 남은 사탕: 46 − 13 = 33(개)
더 산 후의 사탕: 33 + 20 = 53(개)

(53)개

1반에는 남학생 13명, 여학생 16명이 있습니다. 이 중에서 안경을 쓴 학생은 12명입니다. 안경을 쓰지 않은 학생은 몇 명일까요?

1반 전체 학생: 13 + 16 = 29(명)
안경을 쓰지 않은 학생: 29 − 12 = 17(명)

(17)명

66쪽

■ ⭐과 🔵은 어떤 수를 나타냅니다. 빈칸에 알맞은 수를 써넣으세요.

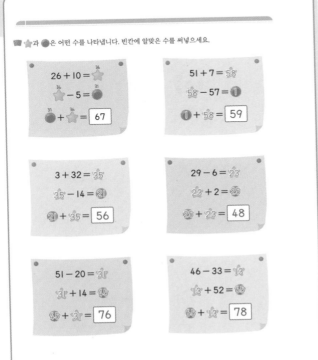

26 + 10 = ⭐(36)
⭐(36) − 5 = 🔵(31)
🔵(31) + ⭐(36) = 67

51 + 7 = 🔵(58)
🔵(58) − 57 = ⚫(1)
⚫(1) + 🔵(58) = 59

3 + 32 = ⭐(35)
⭐(35) − 14 = 🔵(21)
🔵(21) + ⭐(35) = 56

29 − 6 = ⭐(23)
⭐(23) + 2 = 🔵(25)
🔵(25) + ⭐(23) = 48

51 − 20 = ⭐(31)
⭐(31) + 14 = 🔵(45)
🔵(45) + ⭐(31) = 76

46 − 33 = ⭐(13)
⭐(13) + 52 = 🔵(65)
🔵(65) + ⭐(13) = 78

하루 한 장 75일
집중 완성

교과 연산

하루 한 장 75일 집중 완성

교과연산

수특강   집중연산

초1   A0   +   A1, A2, A3

"연산을 이해하려면 수를 먼저 이해해야 합니다."

"계산은 문제를 해결하는 하나의 과정입니다."

"교과연산은 상황을 판단하는 능력을 길러줍니다."